Gramatyka?
Ależ tak!

Ćwiczenia gramatyczne dla poziomu A2

PODRĘCZNIK DO NAUKI
JĘZYKA POLSKIEGO
DLA CUDZOZIEMCÓW

Joanna Machowska

Gramatyka?
Ależ tak!

Ćwiczenia gramatyczne dla poziomu A2

poziom
A2

Kraków

ISBN 97883–242–1655–0
TAiWPN UNIVERSITAS

Tłumaczenie na język angielski
Magdalena Buchta

Tłumaczenie na język niemiecki
Jan Szurmant

Tłumaczenie na język rosyjski
Sergiy Tyupa

Redakcja
Jolanta Stal

Rysunki
Kamila Gawłowska
www.kamilagawlowska.pl

Projekt okładki i stron tytułowych
Sepielak

www.universitas.com.pl

Spis treści

Wstęp

Ćwiczenia gramatyczne dla poziomu A2 *Gramatyka? Ależ tak!* stanowią kontynuację ćwiczeń gramatycznych dla poziomu A1 pt. *Gramatyka? Dlaczego nie?!* wydanych w 2010 r. Jak wspominałam we wstępie do poprzedniego zbioru, brakuje na naszym rynku ćwiczeń adresowanych do studentów określonych poziomów nauczania. Zbiory ćwiczeń mające w podtytule wyrażenie „dla początkujących" przeznaczone są dla bardzo dużej grupy studentów – od tych, którzy nie znają języka polskiego w ogóle, po studentów uczących się na poziomach A1 i A2. Powoduje to pomieszanie zagadnień gramatycznych i leksyki z obu tych poziomów. Efektem są ćwiczenia bardzo łatwe i trudne sąsiadujące ze sobą w jednym zbiorze.

Od momentu, gdy poziomy zaawansowania zostały dokładnie opisane w Europejskim Systemie Opisu Kształcenia Językowego, można bez problemu zdefiniować poziomy A1 i A2.

Przygotowując ćwiczenia dla poziomu A1, byłam przekonana o konieczności stworzenia także drugiej części, która będzie adresowana do studentów z poziomu A2.

Konstrukcja podręcznika *Gramatyka? Ależ tak!* nawiązuje swoim układem do poprzedniego zbioru ćwiczeń, jest on jednak uzupełniony o nowe zagadnienia gramatyczne, które znajdują się w programie poziomu A2. Została też poszerzona leksyka, gdyż skończywszy poziom A2, student powinien operować około dwoma tysiącami słów.

Pisząc o podobieństwie układu obu książek, chciałam zwrócić uwagę, że zagadnienia gramatyczne zostały ułożone zgodnie z gramatyką opisową języka polskiego, a więc najpierw imienne części mowy, potem zaś czasownik. Również przypadki zostały zaprezentowane w kolejności znanej z polskich gramatyk. Odstąpiłam tu od układu, który funkcjonuje w glottodydaktyce, z dwu względów:

Jest to zbiór ćwiczeń, a nie podręcznik kursowy, który wykorzystywany jest na zajęciach w kolejności, jaką sugeruje autor. W publikacji tej między poszczególnymi rozdziałami prezentującymi oddzielne zagadnienia gramatyczne nie ma powiązania. Nie muszą być one przedstawiane w układzie takim, w jakim występują w książce, ale mogą być realizowane w kolejności, która odpowiada nauczycielowi lub studentom, gdy traktują te ćwiczenia jako powtórzenie wiadomości przed testem, egzaminem lub egzaminem certyfikatowym, który prawdopodobnie niedługo będzie można zdawać na poziomie A2.

Układ glottodydaktyczny nie we wszystkich podręcznikach jest identyczny. Już w opracowaniach z poziomu A1 realizowane są różne pomysły dotyczące kolejności zagadnień gramatycznych: najpierw narzędnik czy biernik, najpierw miejscownik czy aspekt czasownika? Na poziomie A2 istnieje jeszcze więcej różnic w koncepcjach autorów. W takim układzie należałoby też przeplatać – gdyż tak się najczęściej czyni – imienne części mowy z zagadnieniami dotyczącymi czasownika i z nieodmiennymi częściami mowy.

Mając świadomość, że student na poziomie A2 z wieloma zagadnieniami gramatycznymi już się zetknął, starałam się wykorzystać jego dotychczasową wiedzę, wprowadzając go jednocześnie w nowe aspekty poznanych wcześniej problemów.

Wiele ćwiczeń zostało pomyślanych tak, aby można było pracować metodą indukcyjną, bardzo cenioną w glottodydaktyce. Inne ćwiczenia systematyzują wiedzę studenta i ułatwiają mu zapamiętanie reguł.

Dużą grupę zadań stanowią krzyżówki, tabelki, diagramy i teksty, w których student odkrywa reguły. Zależało mi na tym, by w większej części były to ćwiczenia, które twórczo wykorzystują możliwości uczenia się przez studenta. Mam nadzieję, że liczne ilustracje pomogą utrwalić reguły polskiej gramatyki i wspomogą pamięć studentów.

Od lat ucząc gramatyki, staram się, aby była ona tylko drogą i środkiem do opanowania języka, a nie celem samym w sobie. Dlatego też często ćwiczenia są zadaniami, w których student na podstawie zdobytych informacji buduje poprawne wypowiedzi i opanowuje struktury potrzebne w komunikacji. Nie są to wszakże zajęcia nudne i męczące – sprawiają przyjemność wynikającą z coraz łatwiejszego komunikowania się w języku polskim.

Jestem głęboko przekonana, że choć nauczanie gramatyki stanowi jedynie drogę do sukcesu, jakim jest znajomość języka obcego, to sposób ten może być przyjemny, a przede wszystkim ciekawy i kreatywny.

Chciałam też, aby w ćwiczeniach pojawiło się wiele informacji o Polsce, polskiej kulturze i historii. Pomógł mi w tym rozdział poświęcony liczebnikowi, w którym znalazło się wiele dat z historii Polski, a także rozdział omawiający stopniowanie przymiotników, w którym można porównywać różne obiekty geograficzne nie tylko w Polsce, ale i na świecie.

Naturalnie w oddawanym do Państwa rąk zbiorze są również tradycyjne ćwiczenia transformacyjne, ale w ogromnej części zostały one przygotowane nie na izolowanych zdaniach, lecz na tekstach ciągłych, które stanowią krótkie historyjki. Konstrukcje składniowe są nadal proste, przeważają zdania pojedyncze i współrzędnie złożone.

Wszystkie polecenia zostały napisane w języku polskim, ale ponieważ do każdego ćwiczenia podano przykład, studenci nie powinni mieć trudności ze zrozumieniem instrukcji. Na początku książki znajduje się też słownik polskich terminów gramatycznych, które zostały wyjaśnione w języku angielskim.

Mam nadzieję, że *Gramatyka? Ależ tak!* będzie przydatną, a jednocześnie interesującą pomocą dla nauczycieli pracujących na poziomie A2 oraz dla studentów, którzy niezrażeni początkowymi trudnościami postanowili nadal odkrywać język polski, a być może w przyszłości przystąpią do egzaminu certyfikatowego. Studenci mogą korzystać z niniejszego zbioru, ucząc się zarówno na kursach, jak i samodzielnie, książka bowiem zawiera klucz do zadań.

Chciałam bardzo podziękować Panu Profesorowi Władysławowi Miodunce, który podobnie jak przy pracy nad pierwszą częścią zmotywował mnie do ukończenia tego zbioru ćwiczeń.

Serdeczne podziękowania składam również Pani Profesor Grażynie Zarzyckiej z Uniwersytetu Łódzkiego, która podjęła się recenzowania tego podręcznika. Jej uwagi i sugestie były bardzo cenne i z pewnością wpłynęły na jakość wielu ćwiczeń.

Dziękuję moim studentkom ze studiów magisterskich: Barbarze Godłowskiej, Edycie Krasnowskiej i Marii Kulanek za możliwość wykorzystania ich ćwiczeń w moim podręczniku.

Joanna Machowska

Introduction

Gramatyka? Ależ tak! – a practice book for A2 level students of Polish – is a continuation of *Gramatyka? Dlaczego nie?!* – a grammar practice book for A1 students of Polish published in 2010. As I mentioned in the Introduction to that volume, there is a demand on our market for Polish language practice books tailored for students on a particular level. Many books labeled "for beginners" are, in fact, meant for quite a wide range of students, from those who speak no Polish at all to those who have already reached level A1 or even A2. As a result, they contain grammatical and lexical material from all these levels (from absolute basics to A2), which, in effect, means that very easy exercises appear alongside the difficult ones.

Since the levels of proficiency have been precisely described within the Common European Framework of Reference for Languages, it is no longer a problem to define levels A1 and A2.

Even while working on the practice book for A1 students, I was already aware of the need for a subsequent volume, which would be directed at A2 level students.

Gramatyka? Ależ tak! is organized just like the first part, but it contains additional grammatical material which belongs to the A2 level program. The lexical content has also been broadened: on completion of the A2 level course, the student should be able to make use of ca. two thousand words.

Emphasizing the similar organization of the two books, I want to point out that the grammatical content has been ordered according to the descriptive grammar of the Polish language: first, the noun and its modifiers, and then the verb. The grammatical cases are also presented in the order adopted by Polish grammars. I have decided not to follow the order that functions in language education studies, for two reasons:

1. This is a practice book, and not a student's book used in class in the order prescribed by the author. There is no connection between particular chapters devoted to particular grammar point. Thus, they do not have to be presented in the order in which they appear in the book, but in a way that best suits the teacher or the students who want to practise before a test, an exam, or a certificate exam (which will probably soon be available at A2 level).

2. Various student's books follow different orders. Even at A1 level there are a few ways of approaching the grammatical material: which should go first, the instrumental or the accusative? The locative case or the verb aspect? Level A2 is still richer in differences. In this case, one would also expect topics devoted to the noun and its modifiers to intertwine with those devoted to the verb and the uninflected parts of speech – which, in fact, happens in most of the books.

Being aware of the fact that the A2-level students have already covered many grammar points, I tried to make use of their already gained knowledge, and at the same time to introduce the learner to new aspects of previously learnt topics.

Many of the exercises have been designed in such a way as to enable inductive learning, which is very popular with language education studies. Other exercises allow the students to systematize their knowledge and make it easier for them to remember the rules.

A lot of exercises are in the form of a crossword, a diagram, or a text, on the basis of which the student can discover the rules. Most of all, I wanted my exercises to require a creative use of the student's learning abilities. I hope that numerous graphics will help the student consolidate the rules of Polish grammar and memorize them better.

Having taught grammar for years, I always try to regard it as the tool and means to master the language, and not the aim in itself. That's why my exercises often have the form of tasks in which the student makes use of the information to build correct sentences and master the structures needed for communication. These tasks are by no means boring or tiring; in fact, they may be source of fun and lead to more and more fluent communication in Polish.

I am deeply convinced that even though mastering grammar is just a means to successful learning of a foreign language, this process can be pleasurable and, most of all, interesting and creative.

Last but not least, I wanted my exercises to contain a lot of information about Poland, Polish culture and history. The most conducive here was the chapter on quantifiers, in which I put a lot of dates from Polish history, as well as the chapter on adjective gradation, in which students can compare various geographical objects not only from Poland, but from all over the world.

Naturally, the book contains also traditional transformational exercises, but the majority of them are based not on isolated sentences but on texts taking the form of very short stories. The syntax has been kept on a basic level, containing mostly simple and compound sentences.

All the instructions are formulated in Polish, but because each exercise is accompanied by an example, the students shouldn't have problems in understanding the instruction. At the beginning of the book there is also a glossary of Polish grammatical terms with their English equivalents.

I hope that *Gramatyka? Ależ tak!* will be a useful and, at the same time, interesting help for both the teachers teaching at A2 level and the students who, undiscouraged by initial difficulties, want to keep on learning the Polish language and perhaps take a certificate exam in the future. Students can use this book both under the teacher's supervision and on their own, since it is equipped with the answer key.

I would like to express my deep gratitude to Prof. Władysław Miodunka, who, just like with the previous volume, kept motivating me in my work on the book.

I would also like to give my thanks to Prof. Grażyna Zarzycka from the University of Lodz, who agreed to review this volume. Her invaluable comments and suggestions helped me to polish many of the exercises.

I am likewise grateful to my MA students: Barbara Godłowska, Edyta Krasnowska and Maria Kulanek, for having let me use their exercises in my book.

Joanna Machowska

Vorwort

Die Grammatikübungen für die Niveaustufe A2 des GER unter dem Namen *Gramatyka? Ależ tak!* sind eine Fortsetzung der Grammatikübungen für die Niveaustufe A1 des GER unter dem Namen *Gramatyka? Dlaczego nie?!*, die im Jahr 2010 herausgegeben wurden. Wie ich bereits im Vorwort zur vorherigen Sammlung erwähnte, fehlt es auf unserem Markt an Übungen, die für Lernende bestimmter Niveaustufen des Spracherwerbs gedacht sind. Übungssammlungen, die im Untertitel die Bezeichnung „für Anfänger" aufweisen, sind für eine sehr große Gruppe von Lernenden bestimmt – von denen, die Polnisch überhaupt nicht kennen, bis zu den Lernenden auf den Niveaustufen A1 und A2. Dies führt zu einer Vermischung der grammatikalischen Probleme und des Wortschatzes aus diesen beiden Niveaustufen. Dies wiederum hat zur Folge, dass sich in einer einzigen Sammlung sehr einfache und schwierige Übungen miteinander abwechseln.

Seit dem Zeitpunkt, an dem die Niveaustufen durch den Gemeinsamen Europäischen Referenzrahmen GER genau festgelegt worden sind, kann man die Niveaustufen A1 und A2 problemlos definieren und so voneinander abgrenzen.

Schon bei der Vorbereitung der Übungen für die Niveaustufe A1 war ich von der Notwendigkeit überzeugt, auch einen zweiten Teil zu erstellen, der für Lernende auf der Niveaustufe A2 bestimmt ist.

Der Aufbau des Lehrwerks *Gramatyka? Ależ tak!* knüpft an die Reihenfolge der vorherigen Übungssammlung an, es ist allerdings erweitert um neue grammatikalische Probleme, die sich im Programm für die Niveaustufe A2 befinden. Es wurde auch der Wortschatz erweitert, denn am Ende der Niveaustufe A2 sollte der Lernende ungefähr 2.000 Wörter verwenden können.

Indem ich über die Ähnlichkeiten der Reihenfolge beider Bücher schreibe, möchte ich darauf hinweisen, dass die grammatikalischen Probleme in Übereinstimmung mit der deskriptiven Grammatik der polnischen Sprache angeordnet wurde, und somit zuerst die Nominalwortarten behandelt werden und erst anschließend die Verben. Ebenso werden die Fälle in der aus polnischen Grammatiken bekannten Reihenfolge vorgestellt. Ich habe von einer Reihenfolge abgesehen, die in der Glottodidaktik verwendet wird, und zwar aus den folgenden beiden Gründen:

Es handelt sich um eine Übungssammlung, nicht jedoch um ein Kursbuch, das im Unterricht in der Reihenfolge behandelt wird, die der Autor vorgibt. In solch einer Publikation gibt es keine Verbindung der getrennten grammatikalischen Probleme zwischen den einzelnen eingeführten Kapiteln. Sie müssen nicht in der Reihenfolge vorgestellt werden, in der sie im Buch auftauchen, sondern können in der Reihenfolge bearbeitet werden, die der Lehrkraft oder dem Lernenden zusagt, falls sie die Übungen als Wiederholung oder Vertiefung vor Tests, Prüfungen oder Zertifikatsprüfungen behandeln, die wahrscheinlich in Kürze auf der Niveaustufe A2 abgelegt werden können.

Der glottodidaktische Aufbau ist nicht in allen Lehrwerken identisch. Schon bei der Ausarbeitung der Niveaustufe A1 wurden verschiedene Denkansätze umgesetzt, die die

Reihenfolge der grammatikalischen Probleme betreffen: zuerst den Instrumental oder den Akkusativ, zuerst den Lokativ oder den Aspekt der Verben? Auf der Niveaustufe A2 gibt es noch mehr Unterschiede in den Konzepten der Autoren. In diesem Aufbau ging es auch um eine Verflechtung – denn so ergibt es sich am häufigsten – der Nominalwortarten mit den die Verben betreffenden Probleme und den indeklinablen Wortarten.

Sich dessen bewusst, dass der Lernende auf der Niveaustufe A2 schon mit vielen grammatikalischen Problemen in Berührung gekommen ist, war ich darum bemüht, seine bisherigen Kenntnisse zu nutzen, indem gleichzeitig neue Aspekte zuvor kennengelernter Probleme eingeführt werden.

Viele Übungen wurden so erdacht, dass mit der Induktionsmethode gearbeitet werden kann, die in der Glottodidaktik sehr geschätzt wird. Weitere Übungen systematisieren die Kenntnisse des Lernenden und erleichtern ihm das Einprägen der Regeln.

Viele Aufgaben stellen Kreuzworträtsel, Tabellen, Diagramme und Texte dar, in denen der Lernende Regeln entdeckt. Es ging mir dabei darum, dass es sich beim Großteil der Übungen um solche handelt, die kreativ die Möglichkeiten des eigenständigen Spracherwerbs durch die Lernenden nutzen. Ich hoffe, dass die zahlreichen Illustrationen dabei helfen, die Regeln der polnischen Grammatik zu festigen und das Einprägen der Lernenden unterstützen.

Da ich seit Jahren Grammatik unterrichte, bin ich stets bemüht, dass sie nur einen Weg und Mittel zur Beherrschung der Sprache darstellt, nicht aber ein Selbstzweck. Deswegen sind Übungen oft auch Aufgaben, bei denen der Lernende auf der Grundlage der erworbenen Informationen fehlerfreie Sätze konstruiert und für die Kommunikation notwendige Strukturen erlernt. Es handelt sich dabei jedoch nicht um langweilige oder anstrengende Beschäftigungen, sondern um solche, die zu einer Zufriedenheit einer immer einfacheren Kommunikation im Polnischen führen.

Ich bin der festen Überzeugung, dass, wenn das Lernen der grammatikalischen Strukturen schon ein Weg zu einer erfolgreichen Beherrschung der Fremdsprache ist, die Art und Weise des Lernen dieser Strukturen so angenehm wie möglich sein sollte, und vor allem interessant und kreativ.

Es ging mir auch darum, dass in den Übungen viele Informationen über Polen, die polnische Kultur und Geschichte einfließen. Besonders einfach war dies im Kapitel zu den Zahlwörtern, in dem sich viele Daten aus der Geschichte Polens befinden, und auch dem Kapitel zur Steigerung der Adjektive, in dem man verschiedene geographische Objekte nicht nur aus Polen, sondern ganzen Welt, miteinander vergleichen kann.

Natürlich sind in der Sammlung, die Sie in den Händen halten, auch typische Transformationsübungen, aber im größten Teil wurden sie nicht in separaten Aufgaben zusammengestellt, sondern in Fließtexten, bei denen es sich um kurze Geschichten handelt. Der syntaktische Aufbau ist weiterhin einfach, es überwiegen nicht verschachtelte Hauptsätze und parataktische Satzverbindungen.

Alle Aufgabenstellungen wurden auf Polnisch verfasst, da aber zu jeder Übung ein Lösungsbeispiel angegeben ist, sollten die Lernenden keine Schwierigkeiten mit dem Verständnis der Anweisung haben. Am Anfang des Buches befindet sich außerdem ein Wörterbuch der polnischen Grammatiktermini, die ins Deutsche übersetzt worden sind.

Ich hoffe, dass *Gramatyka? Ależ tak!* von Nutzen und das Lehrwerk gleichzeitig eine interessante Hilfe für die auf der Niveaustufe A2 des GER unterrichtenden Lehrer sein wird sowie, dass sich die Lernenden, unbeeindruckt von den Anfangsschwierigkeiten dazu entschließen, sich weiterhin die polnische Sprache zu erschließen, und vielleicht in der Zukunft eine Zertifikatsprüfung abzulegen. Die Lernenden können die vorliegende Sammlung benutzen, wenn sie in Kursen oder selbständig lernen, das Buch enthält daher einen Lösungsschlüssel zu den Aufgaben.

Ich möchte mich sehr bei Herrn Professor Władysław Miodunka bedanken, der mich ähnlich wie schon bei der Arbeit am ersten Teil dazu motivierte, diese Übungssammlung zu vollenden.

Meinen herzlichen Dank spreche ich außerdem Frau Professorin Grażyna Zarzycka von der Universität Lodz für ihre Durchsicht dieses Lehrwerks aus. Ihre Anmerkungen und Vorschläge waren sehr wertvoll und sie trugen mit Sicherheit zur Qualität vieler Übungen bei.

Ich danke meinen Studentinnen aus den Magisterstudiengängen: Barbara Godłowska, Edyta Krasnowska und Maria Kulanek, für die Möglichkeit, ihre Übungen in diesem Lehrwerk zu verwenden.

Joanna Machowska

Предисловие

Сборник грамматических упражнений для уровня A2 «Gramatyka? Ależ tak!» представляет собой продолжение упражнений по грамматике для уровня A1, изданных в 2010 г. под названием «Gramatyka? Dlaczego nie?!». Как я уже отмечала в предисловии к предыдущему сборнику, на нашем рынке не хватает упражнений, адресованных для учащихся на начальных уровнях обучения. Сборники упражнений, в названиях которых фигурирует выражение «для начинающих», предназначены для очень обширной группы учащихся – как для тех, кто вообще не знает польский язык, так и для учащихся на уровнях A1 и A2. Это вызывает смешивание грамматических тем и лексики обоих уровней. Как следствие, в одном сборнике рядом могут находиться очень простые и очень сложные упражнения.

Благодаря введению Европейской системы уровней владения иностранным языком теперь можно с легкостью определить уровни A1 и A2.

Подготавливая упражнения для уровня A1, я была уверена в необходимости создания второй части, предназначенной для учащихся на уровне A2.

Структура учебника «Gramatyka? Ależ tak!» напоминает построение предыдущего сборника упражнений, однако он расширен за счет новых грамматических тем, которые относятся к уровню A2. Словарный запас также был увеличен, поскольку после окончания уровня A2 учащийся должен владеть приблизительно двумя тысячами слов.

Говоря о схожести построения обоих учебников, я хотела бы обратить внимание на то, что грамматические темы были расположены в соответствии с описательной грамматикой польского языка, то есть сначала представлены именные части речи, а после них – глагол. Падежи также были представлены в последовательности, употребляемой в учебниках по грамматике польского языка. Здесь я отошла от порядка, используемого в глоттодидактике, по двум причинам:

Во-первых, это сборник упражнений, а не курсовой учебник, который используют на занятиях в последовательности, предложенной автором. В данном сборнике нет связи между разделами, которые содержат обособленные грамматические темы. Не обязательно представлять их в таком порядке, в каком они размещены в сборнике: темы можно проходить в последовательности, которая отвечает потребностям преподавателя или учащихся, если рассматривать эти упражнения как повторение материала перед контрольной работой, экзаменом или сертификационным экзаменом, который, вероятно, в скором времени можно будет сдавать на уровне A2.

Не во всех учебниках глоттодидактическая структура является идентичной. Уже в материалах на уровне A1 реализуются разные идеи относительно последовательности грамматических тем: сначала творительный или винительный падеж, сначала предложный падеж или вид глагола? На уровне A2 существует еще больше различий в концепциях авторов. При таком подходе следовало бы – поскольку именно так чаще всего и поступают – смешивать темы по именным частям речи с темами, связанными с глаголом и неизменяемыми частями речи.

Помня о том, что учащийся на уровне A2 уже сталкивался со многими грамматическими темами, я старалась использовать его предшествующие знания, одновременно предлагая ему новые аспекты уже известных ранее тем.

Большое количество упражнений было составлено так, чтобы можно было использовать метод индукции, который высоко ценят в глоттодидактике. Еще одна группа упражнений систематизирует знания учащегося и облегчает ему запоминание правил.

Немало заданий представлено в виде кроссвордов, таблиц, диаграмм и текстов, в которых учащийся самостоятельно формулирует правила. Я стремилась к тому, чтобы, выполняя большую часть упражнений, учащиеся творчески использовали свои возможности к обучению. Надеюсь, что многочисленные иллюстрации помогут усвоить правила польской грамматики и укрепить память учащихся.

На основе своего многолетнего опыта преподавания грамматики я придерживаюсь мнения, что грамматика должна быть всего лишь путем и средством для овладения языком, а не целью в себе. В этой связи упражнения часто представлены в виде заданий, где учащийся строит правильные фразы на основе полученных сведений, а также овладевает структурами, необходимыми для общения. Упражнения эти не являются скучными или чрезмерно сложными – напротив, они приносят радость все более уверенного общения на польском языке.

Я глубоко убеждена, что хотя изучение грамматики – это всего лишь путь к успеху, которым является овладение иностранным языком, он, тем не менее, может быть приятным, а прежде всего интересным и творческим.

Я также стремилась к тому, чтобы в упражнениях содержалось много информации о Польше, ее культуре и истории. В этом мне помог раздел, посвященный числительному – в нем представлено много дат из польской истории, – а также раздел о степенях сравнения прилагательного, где можно сравнивать различные географические объекты не только в Польше, но и по всему миру.

Естественно, в предлагаемом вам сборнике есть и традиционные трансформационные упражнения, но в огромной степени они были приготовлены не на основе изолированных предложений, а на связных текстах, которые представляют собой короткие рассказы. Синтаксические конструкции здесь по-прежнему просты – преобладают простые и сложносочиненные предложения.

Все инструкции написаны по-польски, но благодаря тому, что для каждого упражнения предоставлен пример, учащиеся не должны испытывать трудности с их пониманием. В начале сборника содержится польско-английский словарик грамматических терминов.

Надеюсь, что сборник «Gramatyka? Ależ tak!» будет полезным и в то же время интересным пособием для преподавателей, работающих на уровне A2, а также для учащихся, которые не испугались начальных трудностей и продолжают открывать для себя польский язык, а в будущем, возможно, будут сдавать сертификационный экзамен. Учащиеся могут пользоваться данным сборником как на курсах, так и самостоятельно, поскольку в пособии содержится ключ к упражнениям.

Я хотела бы выразить свою глубокую признательность профессору Владиславу Медунке, который, равно как и во время работы над первой частью, поддерживал меня в подготовке данного сборника.

Также я хотела бы выразить искреннюю благодарность профессору Гражине Зажицкей из Университета Лодзи, которая подготовила рецензию на данный сборник. Ее замечания и предложения были очень ценными и вне сомнения позволили улучшить качество многих упражнений.

Также я благодарю своих студенток-магистрантов – это Барбара Годловска, Эдита Красновска и Мария Куланек – за возможность использовать их упражнений в своем сборнике.

Йоанна Маховска

Wykaz terminów gramatycznych

Poniżej znajdują się polskie terminy gramatyczne, które używane są w zbiorze ćwiczeń w tłumaczeniu na język angielski.

liczba pojedyncza (l.poj.)
liczba mnoga (l.mn.)

rodzaj męski (r.m.)
żywotny
nieżywotny
rodzaj żeński (r.ż.)
rodzaj nijaki (r.n.)
rodzaj męskoosobowy
rodzaj niemęskoosobowy

rzeczownik
przymiotnik
czasownik
zaimek
przyimek
przysłówek

mianownik
dopełniacz
celownik
biernik
narzędnik
miejscownik

koniugacja
bezokolicznik
czas teraźniejszy
czas przeszły
czas przyszły
aspekt dokonany
aspekt niedokonany
tryb rozkazujący

tryb przypuszczający
stopień równy
stopień wyższy
stopień najwyższy

A glossary of grammatical terms

The following is a list of Polish grammatical terms which were used in the book, together with their English equivalents.

Polish term:	English term:
liczba pojedyncza (l.poj.)	singular
liczba mnoga (l.mn.)	plural
rodzaj męski (r.m.)	masculine
żywotny	animate
nieżywotny	inanimate
rodzaj żeński (r.ż.)	feminine
rodzaj nijaki (r.n.)	neuter
rodzaj męskoosobowy	masculine personal
rodzaj niemęskoosobowy	non-masculine personal
rzeczownik	noun
przymiotnik	adjective
czasownik	verb
zaimek	pronoun
przyimek	preposition
przysłówek	adverb
mianownik	nominative
dopełniacz	genitive
celownik	dative
biernik	accusative
narzędnik	instrumental
miejscownik	locative
koniugacja	conjugation
bezokolicznik	infinitive
czas teraźniejszy	present tense
czas przeszły	past tense
czas przyszły	future tense
aspekt dokonany	perfective aspect
aspekt niedokonany	imperfective aspect

tryb rozkazujący	imperative mood
tryb przypuszczający	conditional mood
stopień równy	positive
stopień wyższy	comparative
stopień najwyższy	superlative

Wörterbuch der grammatikalischen Termini

Im Folgenden werden die polnischen grammatikalischen Termini aufgeführt, die in der Übungssammlung verwendet werden, zusammen mit ihrer Entsprechung im Deutschen.

Polnische Termini:	Deutsche Termini:
liczba pojedyncza (l.poj.)	Singular
liczba mnoga (l.mn.)	Plural
rodzaj męski (r.m.)	Maskulinum
żywotny	belebt
nieżywotny	unbelebt
rodzaj żeński (r.ż.)	Femininum
rodzaj nijaki (r.n.)	Neutrum
rodzaj męskoosobowy	männliche Personalform
rodzaj niemęskoosobowy	nicht-männliche Personalform
rzeczownik	Substantiv
przymiotnik	Adjektiv
czasownik	Verb
zaimek	Pronomen
przyimek	Präposition
przysłówek	Adverb
mianownik	Nominativ
dopełniacz	Genitiv
celownik	Dativ
biernik	Akkusativ
narzędnik	Instrumental
miejscownik	Lokativ
koniugacja	Konjugation
bezokolicznik	Infinitiv
czas teraźniejszy	Präsens
czas przeszły	Präteritum
czas przyszły	Futur
aspekt dokonany	vollendeter Aspekt
aspekt niedokonany	unvollendeter Aspekt
tryb rozkazujący	Imperativ

tryb przypuszczający	Konjunktiv
stopień równy	Positiv
stopień wyższy	Komparativ
stopień najwyższy	Superlativ

Словарь грамматических терминов

Ниже предоставлены польские грамматические термины, употребляемые в сборнике, в переводе на русский язык.

Польские термины:	Английские и русские термины:
liczba pojedyncza (l.poj.)	Единственное число
liczba mnoga (l.mn.)	Множественное число
rodzaj męski (r.m.)	мужской род
żywotny	одушевленный
nieżywotny	неодушевленный
rodzaj żeński (r.ż.)	женский род
rodzaj nijaki (r.n.)	средний род
rodzaj męskoosobowy	лично-мужской род
rodzaj niemęskoosobowy	нелично-мужской род
rzeczownik	имя существительное
przymiotnik	имя прилагательное
czasownik	глагол
zaimek	местоимение
przyimek	предлог
przysłówek	наречие
mianownik	Именительный падеж
dopełniacz	Родительный падеж
celownik	Дательный падеж
biernik	Винительный падеж
narzędnik	Творительный падеж
miejscownik	Предложный падеж
koniugacja	спряжение
bezokolicznik	инфинитив
czas teraźniejszy	настоящее время
czas przeszły	прошедшее время
czas przyszły	будущее время
aspekt dokonany	совершенный вид

aspekt niedokonany   несовершенный вид
tryb rozkazujący   повелительное наклонение
tryb przypuszczający   условное наклонение

stopień równy   положительная степень
stopień wyższy   сравнительная степень
stopień najwyższy   превосходная степень

I

ODMIANA RZECZOWNIKA, PRZYMIOTNIKA I ZAIMKA OSOBOWEGO

I.1. Piękna noc i przystojny parlamentarzysta
Mianownik liczby pojedynczej

I. Proszę dopisać nazwę mieszkańca lub mieszkanki kontynentu, kraju lub miasta.

Kontynent / kraj / miasto	Mieszkaniec	Mieszkanka
Francja	Francuz	**Francuzka**
Hiszpania	Hiszpan	
Węgry		Węgierka
Szwecja	Szwed	
Włochy	Włoch	**Włoszka**
Czechy	Czech	
Niemcy	Niemiec	Niemka
Anglia	Anglik	Angielka
Azja	Azjata	Azjatka
Europa	Europejczyk	**Europejka**
Australia	Australijczyk	
Brazylia		Brazylijka
Argentyna	Argentyńczyk	**Argentynka**
Korea	Koreańczyk	
Chiny		Chinka
Japonia	Japończyk	
Afryka	Afrykanin	**Afrykanka**
Ameryka		Amerykanka
Rosja	Rosjanin	
Egipt		Egipcjanka
Warszawa	warszawianin	
Kraków		krakowianka
Wrocław	wrocławianin	
Łódź		łodzianka
Poznań	poznanianin	

Proszę przyjrzeć się tabeli i odpowiedzieć, które nazwy piszemy wielką literą, a które małą.

Wielką literą piszemy ....

....

Małą literą piszemy ....

II. Podane rzeczowniki proszę wpisać w odpowiednie miejsce w tabeli.

noc, parlamentarzysta, centrum, **sól**, zwierzę, gospodyni, **satelita**, ekonomista, miłość, brew, demokrata, wieś, demokracja, akwarium, dłoń, **oko**, kurczę, szuflada, rzecz, kurczak, ucho, pole, bandyta, niemowlę, masażysta, mysz

rodzaj męski	rodzaj żeński	rodzaj nijaki
ten satelita	**ta** sól	**to** oko

III

A. Z podanych nazw zawodów proszę wybrać te, które mają obie formy: męską i żeńską i uzupełnić tę, której brakuje.

Nauczyciel, lekarka, **architekt**, kucharka, prezenter, dyrektorka, dziennikarz, profesor, psycholog, inżynier, policjantka, stolarz, ogrodnik, marynarz, dentysta, przedszkolanka, pielęgniarz, kierowca, urzędnik, kelnerka, projektant, muzyk, śpiewaczka, sprzedawczyni, psychiatra, aktor, rolnik, artystka, tancerz, malarka

rodzaj męski	rodzaj żeński
1. nauczyciel...........................	**nauczycielka** ....
2. **lekarz**...........................	lekarka...........................

3. ....

4. ....

5. ....

6. ....

7. ....

8. ....

9. ....

10. ....

11. ....

12. ....

13. ....

14. ....

15. ....

16. ....

17. ....

18. ....

19. ....

B. Z podanych nazw zawodów proszę wybrać te, które mają tylko jedną formę: męską lub żeńską.

architekt

1. ....

2. ....

3. ....

4. ....

5. ....

6. ....

7. ....

8. ....

9. ....

10. ....

IV. Proszę wybrać odpowiedni przymiotnik.

PRZYKŁAD:
To jest **dobra** / dobry pani minister.

1. To jest miła / miły dentysta.
2. To jest odpowiedzialny / odpowiedzialna pani sędzia.
3. To jest sympatyczna / sympatyczny pani prezydent.
4. To jest kompetentny / kompetentna ekonomista.
5. To jest sławna / sławny pani profesor.
6. To jest znana / znany okulista.
7. To jest życzliwa / życzliwy pani psycholog.
8. To jest uprzejmy / uprzejma sprzedawczyni.
9. To jest wysoka / wysoki masażysta.
10. To jest punktualna / punktualny parlamentarzysta.

V. Proszę połączyć przymiotnik z kolumny A z rzeczownikiem z kolumny B i zapisać wyrażenia w poprawnej formie.

	A		B
1.	ciepły	a.	możliwość
2.	szary	b.	rzecz
3.	biały	c.	krew
4.	gorący	d.	brew
5.	smutny	e.	dłoń
6.	cenna	f.	samotność
7.	szczupły	g.	sól
8.	czarny	h.	miłość
9.	zimny	i.	mysz
10.	inny	j.	noc

PRZYKŁAD:
ciepła noc

....

....

....

....

....

....

....

....

VI. Proszę uzupełnić tekst odpowiednimi formami przymiotników i zaimków.

(Wysoki) **Wysoka** pani minister szła ulicą. Nagle przez drogę przebiegła (1) (brązowy) .... mysz. W tym momencie pani minister zauważyła, że na ulicy leży (2) (dziwny, mały) .... rzecz. (3) (Ten) .... rzecz to był młody, zmarznięty kotek. Noc była (4) .... (zimny). Pani minister zastanawiała się, co powinna zrobić. Wtedy zauważyła, że ulicą jedzie (5) (młody, sympatyczny) ...., ... kierowca. Zatrzymała go i poprosiła, żeby wziął biedne zwierzę. Kierowca zabrał kotka, ale nie mógł go zawieźć do domu, gdyż w jego domu mieszkała (6) (biały) .... mysz. Kierowca miał dobrego kolegę. (7) (Ten dobry) .... kolega był znanym dentystą, był (8) .... (bogaty) i miał duże mieszkanie. Kierowca zadzwonił więc do niego. (9) (Życzliwy) .... dentysta naturalnie się zgodził i przyjął kotka. (10) (Mały) .... kociątko znalazło wreszcie dom.

VII. W niektórych z podanych zdań są błędy. Proszę je poprawić.

To jest dobry kierowca. +
To jest wielki miłość. – To jest **wielka miłość.**

1. To jest pochmurny noc. ....
2. To jest sławny muzyk. ....
3. To jest wesoła przedszkolanka. ....
4. To jest czysty dłoń. ....
5. To jest kontrowersyjny artysta. ....
6. To jest energiczna turysta. ....
7. To jest drugi możliwość. ....
8. To jest roztargniony kierowca. ....
9. To jest amerykańska satelita. ....
10. To jest piękny akwarium. ....

VIII
A. Proszę utworzyć rzeczowniki od podanych przymiotników.

PRZYKŁAD:
Zły – **złość**

1. Samotny – ....
2. Stary – ....

3. Młody   –   ....

4. Wolny   –   ....

5. Możliwy   –   ....

6. Trudny   –   ....

7. Czysty   –   ....

8. Długi   –   ....

9. Wielki   –   ....

10. Ciemny   –   ....

B. Proszę uzupełnić zdania odpowiednimi rzeczownikami: nienawiść, miłość, zazdrość.

1. Kiedy kogoś kocham, to czuję ....

2. Kiedy kogoś nienawidzę, to czuję ....

3. Kiedy jestem zazdrosny, to czuję ....

IX. Z podanych wyrazów proszę ułożyć poprawne zdania w czasie teraźniejszym.

PRZYKŁAD:
To, być, wielki, miłość
To jest wielka miłość.

1. Wolność, być, ważny, dla, każdy, człowiek

....

2. Drugi, możliwość, być, trudniejszy

....

3. W, to, ćwiczenie, gramatyczny, być, duży, trudność

....

4. Starość, być, dla, on, bardzo, ciężki

....

5. Młodość, nie, zawsze, być, piękny

....

6. Samotność, nie, musieć, być, smutny

....

7. Wysokość, budynek, być, imponujący

....

8. Zazdrość, być, zawsze, frustrujący

....

9. W, dom, panować, wielki, czystość

....

10. Ciemność, być, przerażający, dla, dzieci

....

X. Proszę uzupełnić zdania zaimkiem „który" w odpowiedniej formie.

PRZYKŁAD:
To jest pan, **który** nazywa się Marek Nowak.

1. To jest dziecko, ... chodzi do przedszkola.
2. To jest książka, ... jest bardzo interesująca.
3. To jest chłopak, ... jest bratem Marysi.
4. To jest okno, ... musisz umyć.
5. To jest dziewczyna, ... studiuje filozofię.
6. To jest muzeum, ... koniecznie powinieneś zwiedzić.
7. To jest dentysta, ... pracuje w tej klinice.
8. To jest gałąź, ... złamała się w nocy.
9. To jest kierowca, ... spowodował ten groźny wypadek.
10. To jest miasto, ... jest bardzo brudne.

XI. Proszę ułożyć pytania do podkreślonych wyrazów.

PRZYKŁAD:
To była piękna noc. **Jaka to była noc?**

1. To jest zdolny ekonomista. ....?
2. To jest interesujące muzeum. ....?
3. To jest złamana kość. ....?
4. To jest sławny poeta. ....?
5. To jest droga rzecz. ....?
6. To jest zagraniczny turysta. ....?
7. To jest wspaniały artysta. ....?
8. To jest kompetentna pani inżynier. ....?
9. To jest niebezpieczny przestępca. ....?
10. To jest obowiązkowa pani minister. ....?

I.2. Wracam znad morza od rodziny
Dopełniacz liczby pojedynczej

I. Podkreślone wyrazy proszę wpisać w odpowiednie miejsce w tabelkach. Proszę podkreślić kolorem końcówki.

To jest Ania. Ania ma 16 lat i chodzi do liceum. Ania ma młodszego brata, ale nie ma <u>młodszej siostry</u>. Ania ma babcię, ale nie ma <u>dziadka</u>. Ania ma też czarnego psa, ale nie ma <u>czarnego kota</u>. Ania lubi oglądać filmy w kinie, ale nie lubi oglądać <u>telewizji</u>. Lubi też czytać książki, ale nie lubi czytać <u>gazety</u>.

Ania lubi jeść dżem, miód, masło i chleb, ale nie lubi jeść <u>tłustej</u> <u>szynki</u>, <u>kiełbasy</u>, <u>makaronu</u>, <u>żółtego sera</u> ani <u>wieprzowego</u> <u>mięsa</u>. Ania lubi pić sok i mleko, ale nie lubi pić <u>wody mineralnej</u> i <u>jasnego piwa</u>. Ania w domu ma komputer stacjonarny, ale nie ma <u>laptopa</u>.

DOPEŁNIACZ – rzeczownik		
rodzaj męski	rodzaj żeński	rodzaj nijaki
żywotne dziadka kota	siostry telewizji gazety szynki kiełbasy wody	mięsa piwa
nieżywotne sera laptopa		

DOPEŁNIACZ – przymiotnik		
rodzaj męski	rodzaj żeński	rodzaj nijaki
żywotne czarnego	młodszej tłustej mineralnej	wieprzowego jasnego
nieżywotne makaronu żółtego		

II. Proszę dopasować odpowiednie słowo z ramki do rysunku i użyć go w poprawnej formie.

A. Czego szuka Kinga?

> **książka**, klucz, ulica, dom, zeszyt, komórka, notes, długopis,
> torebka, chusteczka, parasol

<u>**PRZYKŁAD:**</u>

Kinga szuka **książki.**

1. klucza

2. ulicy

3. domu

4. zeszytu

5. komórki

6. notesu

7. długopisu

8. torebki

9. chusteczki

10. parasola

B. Czego potrzebuje Konrad?

chleb, słownik, woda, czas, komputer, miłość, odpoczynek, sen, słońce, samotność, pieniądze.

PRZYKŁAD:

Konrad potrzebuje **chleba.**

1. słownika

2. wody

3. czasu

4. komputera

5. miłości

6. odpoczynku

7. snu

8. słońca

9. samotności

10. pieniędzy

III. Proszę dopasować rzeczowniki z ramki do następujących czasowników i zapisać je w poprawnej formie.

język polski, pająk, miasto, **klucz**, komputer, opowiadanie, burza, audycja, gramatyka, praca, choroba, kraj, legenda, drukarka, zamek, koncert, biologia, przyjaciel, skaner

Szukam 1. **klucza**
2. przyjaciela
3. pracy

Boję się 1. pająków
2. choroby
3. burzy

Uczę się 1. języka polskiego
2. gramatyki
3. biologii

Słucham 1. audycji   legendy   audycja – broadcast
2. koncertu
3. opowiadania   przyjaciela

Bronię 1. zamku
to defend 2. kraju
3. miasta

Używam 1. skanera
2. drukarki
3. komputera

IV. Jest to drzewo genealogiczne chłopca o imieniu Sebastian. Na podstawie opisu proszę podpisać rysunki oraz uzupełnić tekst odpowiednimi formami rzeczowników.

Babcia: Helena, dziadek: Franciszek, ojciec: Stanisław (syn Heleny i Franciszka), babcia: Bożena, dziadek: Leopold, matka: Teresa (córka Bożeny i Leopolda), syn Stanisława i Teresy to oczywiście Sebastian, siostra matki Teresy: Maria, mąż Marii: Wojciech, córka Marii i Wojciecha: Kinga, syn Marii i Wojciecha: Maciek, brat ojca Stanisława: Kazimierz, żona Kazimierza: Irena, córka Kazimierza i Ireny: Zosia, syn Kazimierza i Ireny: Kamil.

PRZYKŁAD:
Żona **Leopolda** to Bożena.

synowa – daughter-in-law
zięć – son-in-law

1. Syn ....Stanisława.... i ....Teresy.... to Sebastian.
2. Córka ....Kazimierza.... i ....Ireny.... to Zosia.
3. Wnuki ....Heleny.... i ....Franciszka.... to Zosia, Kamil i Sebastian.
4. Żona ....Franciszka.... to Helena.
5. Synowa ....Heleny.... i ....Franciszka.... to Teresa.
6. Dzieci ....Wojciecha.... i ....Marii.... to Kinga i Maciek.
7. Zięć ....Bożeny.... i ....Leopolda.... to Stanisław.
8. Brat ....Zosi.... to Kamil.
9. Siostra ....Marii.... to Teresa.
10. Siostra ....Kamila.... to Zosia.

V. Proszę uzupełnić tekst odpowiednimi formami rzeczowników i przymiotników.

Michał szukał (0) **komórki** (komórka) cały dzień, ponieważ potrzebował (1) _numeru_ (numer), który miał zapisany w komórce. Michał chciał zadzwonić, bo szukał (2) _pracy_ (praca). Michał od dawna uczył się (3) _języka angielskiego_ (język angielski) i ta oferta pracy była bardzo interesująca. Chłopak pragnął (4) _tej pracy_ (ta praca), bo żył za pieniądze swojej mamy. Musiał też ciągle słuchać (5) _kolegi_ (kolega), który często opowiadał, jak znalazł pracę. Michał bał się (6) _sytuacji_ (sytuacja), w której będzie musiał wyemigrować z Polski, aby znaleźć pracę.

pragnąć - to long for, desire

VI. Proszę uzupełnić tekst odpowiednimi formami rzeczowników.

1. Proszę **puszkę kukurydzy**. .... (puszka, kukurydza)
   słoik majonezu (słoik, majonez)   _słoik - bottle_
   kilogram cukru (kilogram, cukier)   _puszka - can, tin_

2. Proszę _tabliczkę czekolady_ (tabliczka, czekolada)
   litr soku (litr, sok)
   kawałek sera (kawałek, ser)

3. Proszę _butelkę wina_ (butelka, wino)
   paczkę makaronu (paczka, makaron)
   puszkę piwa (puszka, piwo)

4. Proszę _puszkę groszku_ (puszka, groszek)   _pudełko - packet_
   kilogram mąki (kilogram, mąka)   _kostka - cube_
   pudełko herbaty (pudełko, herbata)

5. Proszę _kostkę masła_ (kostka, masło)
   litr mleka (litr, mleko)
   20 deka szynki (20 deka, szynka)

6. Proszę _kilogram ryżu_ (kilogram, ryż)
   słoik miodu (słoik, miód)
   główkę kapusty (główka, kapusta)

VII. Na podstawie rysunków w tabelce proszę napisać, czego te osoby nie lubią jeść i pić.

Imię	Czego nie lubi jeść?	Czego nie lubi pić?
Anka		
Bartek		
Krzysiek		

Anka nie lubi jeść marchewki, *kapusty*....................., ...
ani *cebuli*....................
Nie lubi pić *mleka*..............., *wódky*...................
ani *Wody*....................
Bartek nie lubi jeść *kiełbasy*..............., *mięsa*............... ani *szynki*...............
Nie *lubi pić*............... *herbaty*..........., *wina*...............
ani *soku*...............
Krzysiek *nie lubi jeść sera, miodu ani masła.*...............
Nie lubi pić piwa, kawy ani kompotu...............
....

VIII. Wyrazy z ramki proszę wpisać w poprawnej formie w odpowiednie miejsca w tabeli. Niektóre wyrazy mogą być w kilku miejscach. Proszę uważać na przyimki.

> urlop, dom, świat, drzewo, kino, koleżanka, brat, teatr, ulica, Kraków, Francja, lekarz, mama, dentysta, kościół, rzeka, babcia, zima, szkoła, fryzjer, weekend, droga, jezioro, rodzina, mur, park, lato, dyrektor, fontanna, plaża

Dokąd?	Skąd?	Do kogo?	Od kogo?	U kogo?	Dla kogo?	Podczas czego?	Obok / koło kogo / czego?	Wzdłuż czego?	Dookoła czego?
do	z / ze	do	od	u	dla	podczas	obok / koło	wzdłuż	dookoła
kina	kina	babci	babci	babci	babci	urlopu	domu	domu	jeziora
teatru	ulicy	koleżanki	koleżanki	koleżanki	koleżanki	zimy	drzewa	drzewa	świata
kościoła		brata				weekendu	koleżanki	teatru	Krakowa
Francji		lekarza				lata	brata	ulicy	Francji
szkoły		mamy					teatru	kościoła	parku
parku		dentysty					ulicy	rzeki	plaży
fontanny	plaży	fryzjera					lekarza	szkoły	kina
domu		rodziny					mamy	muru	drzewa
		dyrektora					dentysty	parku	fontanny
							kościoła	fontanny	
							rzeki	plaży	
							szkoły	drogi	
							fryzjera		
							rodziny		
							muru		
							parku		
							dyrektora		
							fontanny		
							plaży		
							drogi		

IX. Podany tekst proszę uzupełnić odpowiednimi przyimkami z ramki.

podczas, ze, podczas, wzdłuż, u, do, od, u, do, do, obok, do, wokół

(0) **Podczas** weekendu miałam wiele atrakcji. Bardzo przyjemnie spędziłam czas. W piątek wieczorem poszłam z przyjaciółmi (1) _do_ kina. Potem postanowiliśmy pójść (2) _do_ pubu i chwilę porozmawiać. Niestety nie było z nami Michała, bo ten weekend spędzał (3) _u_ Karoliny, która właśnie wróciła (4) _do_ Polski. Szliśmy (5) _wzdłuż_ pięknie oświetlonej ulicy i przyglądaliśmy się zabytkowym kamienicom. (6) _Wokół_ Rynku stały jeszcze dorożki. W pubie (7) _obok_ nas siedzieli młodzi Hiszpanie, z którymi rozmawialiśmy po angielsku. W sobotę spałam (8) _do_ południa. Potem umówiłam się z moją przyjaciółką Renatą i (9) _u_ niej w domu spędziłam cały wieczór. (10) _Podczas_ naszego spotkania przyszedł chłopak Renaty – Adam i opowiadał bardzo ciekawe historie o swoich podróżach. (11) _Od_ Renaty wróciłam późno w nocy. W niedzielę odwiedził mnie mój kuzyn, który właśnie wrócił (12) _ze_ Szwecji.

X. Proszę uporządkować słowa, tak aby powstało poprawne zdanie.

PRZYKŁAD:
szukałem, klucza, cały, wczoraj, dzień
Wczoraj cały dzień szukałem klucza.

1. moja, nigdy, komputera, babcia, nie używała
   moja babcia nigdy nie używała komputera

2. przez, jego, szukał, trzy, brat, pracy, miesiące
   przez trzy miesiące jego brat szukał pracy

3. siostra, się, nasza, wody, boi
   nasza siostra boi się wody

4. cały, uczyli, psychologii, się, tydzień, egzaminu, do, z
   cały tydzień uczyli się do egzaminu z psychologii

5. snu, Weronika, i, potrzebuje, odpoczynku
   Weronika potrzebuje odpoczynku i snu

6. Patryk, już, tej, słuchał, razy, piosenki, trzy
   Patryk już słuchał tej piosenki trzy razy

7. w, Ala, dentysty, godziny, u, zeszły, była, czwartek, dwie
   w zeszły czwartek Ala była u dentysty dwie godziny

   zeszły – last

8. dzisiaj, się, do, wybieramy, teatru

Dzisiaj wybieramy się do teatru

9. pochodzi, Rosji, Olga, z

Olga pochodzi z Rosji

10. Kinga, pracowali, w, podczas, restauracji, i, Jarek, lata

Kinga i Jarek pracowali w restauracji podczas lata

podczas - during

XI. Proszę uzupełnić zdania odpowiednim zaimkiem osobowym.

1. Proszę, to prezent dla **ciebie** (ty)! Naprawdę?! Dla ...._mnie_.... ? Tak się cieszę!
2. Nie lubię Emilii! Jak możesz tak mówić, przecież ...._jej_.... nie znasz!
3. Proszę, to adres dobrego okulisty. Musisz iść do ...._niego_.... jak najszybciej.
4. Zapraszamy was jutro wieczorem na kolację. Świetnie! Przyjdziemy do ...._was_.... koło siódmej.
5. Nie byliście jeszcze u ...._nas_.... Musicie koniecznie zobaczyć nasze nowe mieszkanie.
6. Nie lubię ...._ich_.... _visit_ odwiedzać. Są tacy zarozumiali. _smug, stuck-up_
7. Nie widziałaś swoich koleżanek już bardzo dawno. Musisz koniecznie do ...._nich_.... zadzwonić.
8. Nie możemy do ...._ciebie_.... przyjść. Nie będzie ci przykro?
9. Proszę, musisz do ...._mnie_.... napisać. Będę się o ciebie martwić.
10. Wykład profesora Małeckiego był bardzo interesujący. Słuchaliśmy ...._go_.... bardzo uważnie.

XII. Proszę ułożyć pytania do podkreślonych słów.

PRZYKŁAD:
Byłam wczoraj u siostry. **U kogo** byłaś wczoraj?

1. Nie znam tej młodej poetki. _Kogo nie znasz_ ?
2. Nie zwiedziłem tej średniowiecznej katedry. _Czego nie zwiedziłeś_ ?
3. W sobotę pojechaliśmy do Zakopanego. _Dokąd pojechaliście_ ?
4. Marzena wróciła właśnie z Kanady. _Skąd wróciła Marzena_ ?
5. Ten dom stoi obok lasu. _Obok czego stoi ten dom_ ?
6. Codziennie spacerowali wokół parku. _Wokół czego spacerowali_ ?
7. Kwiaty rosły wzdłuż muru. _wzdłuż czego rosły kwiaty_ ?

8. Wracam od koleżanki. *Od kogo wracasz* ?

9. Kupili album dla nauczycielki. *Dla kogo kupili album* ?

10. Spędził wakacje u przyjaciół. *U kogo spędził wakacje* ?

11. Babcia Marka zrobiła wspaniałe pierogi. *Czyja babcia zrobiła wspaniałe pierogi* ?

12. Dom Nowaków stoi nad rzeką. *Czyj dom stoi nad rzeką* ?

XIII. Proszę ułożyć pytania do podkreślonych słów.

PRZYKŁAD:

Obok dużego trawnika była dróżka. Obok **jakiego** trawnika była dróżka?

1. Nie lubię żółtego koloru. *Jakiego koloru nie lubisz* ?

2. Nie znamy japońskiej literatury. *Jakiej literatury nie znacie* ?

3. Ostatnio poszli do nowego kina. *Do jakiego kina poszli ostatnio* ?

4. Byli u znanego lekarza. *U jakiego lekarza byli* ?

5. Adrian wraca ze świetnego koncertu. *Z jakiego koncertu wraca Adam* ?

6. Nie jem gorzkiej czekolady. *Jakiej czekolady nie jesz* ?

7. Używamy tylko telefonu komórkowego. *Jakiego telefonu używacie* ?

8. Uczyłem się historii starożytnej. *Jakiej histori uczyłeś się* ?

9. Idę do nowo otwartego sklepu. *Do jakiego sklepu idziesz* ?

10. Ta studentka przyjechała z województwa wielkopolskiego. *Z jakiego województwa przyjechała ta studentka* ?

I.3. *Dam kwiaty mojej dziewczynie*
Celownik liczby pojedynczej i mnogiej

I

A. Idą święta Bożego Narodzenia! Jakie prezenty kupi Kasia? Komu je da? Proszę połączyć myśli z odpowiednimi obrazkami[1].

_____

[1] Ćwiczenie przygotowane przez moją studentkę Marię Kulanek.

B. Proszę znaleźć w tekście wszystkie rzeczowniki i wpisać je w odpowiednie miejsce
    w tabeli. Uwaga! Proszę nie zmieniać formy.

rodzaj męski	rodzaj żeński	rodzaj nijaki	liczba mnoga
Krzyśkowi	mamie	dziecku	braciom

		--------------------	--------------------
--------------------		--------------------	--------------------

C. Proszę zaznaczyć temat i końcówkę każdego z rzeczowników.

D. Proszę uzupełnić tabelę przykładami z punktu B.

CELOWNIK

	Co zrobię?	Komu?	Biernik Co?
	1.	*r.m.* **taci -e**	
Na Święta		*r.m.* **-owi**	prezenty.
		r.ż. **-e**	
	2.	*r.ż.* **-i**	
		r.n. **-u**	
		l.mn. **-om**	

II

A. Proszę rozwiązać krzyżówkę:

1. Pani Kowalska i .... Kowalski.
2. Wierny przyjaciel człowieka.
3. Wszystkie kontynenty, morza i oceany.
4. Nieduże zwierzę z wąsami, zjadające myszy.
5. Mały mężczyzna.
6. Rodzice to: matka i ....
7. W opozycji do anioła.
8. Siostra i ....

1	P	A	N				
2							
3							
4							
5							
6							
7							
8							

B. Jaką końcówkę mają wyrazy z krzyżówki w formie celownika liczby pojedynczej? Proszę napisać te wyrazy w formie celownika liczby pojedynczej.

1. panu
2. ....
3. ....
4. ....
5. ....
6. ....
7. ....
8. ....

III. Podkreślone wyrazy proszę wpisać w odpowiednie miejsca w tabelach. Proszę podkreślić kolorem końcówki.

Tego dnia Zosia była chora i nie poszła do szkoły. Patrzyła przez okno i przyglądała się starszemu panu, który dawał jedzenie małemu, czarnemu kotu. Później Zosia przyglądała się niesympatycznej dziewczynce, która kłóciła się ze swoim bratem, i miłej nauczycielce, która szła na spacer ze swoją klasą. Potem Zosia zobaczyła, jak wysoki, chudy chłopiec pomagał małym, smutnym dzieciom zdjąć plastikowy samolot z drzewa. Po południu Zosia przyglądała się piegowatemu dziecku, które bawiło się w piaskownicy obok domu.

CELOWNIK – przymiotnik			
r. męski	**r. żeński**	**r. nijaki**	**l. mnoga**
starszemu			

IV. Agata – koleżanka Kasi też zrobiła listę zakupów. Komu kupi prezent? Co kupi w prezencie? Proszę uzupełnić[2].

0. rękawiczki ------ mama

1. krem do rąk -------- babcia Ewa

2. miseczka z porcelany ----- babcia Marysia

3. ciepłe skarpety ----- dziadek Janek

4. kolczyki ----------- siostra

5. płyta Turnaua ----------- Ola

6. książka o zwierzętach ------ syn Oli

7. torebka ----- kuzynka Ania

8. obrazek ---- kuzyn Michał

9. kolorowe kredki ---- dzieci Michała

1. Agata kupi mamie rękawiczki. ....

2. ....

3. ....

4. ....

5. ....

6. ....

7. ....

8. ....

9. ....

---

[2]   Ćwiczenie mojej studentki Marii Kulanek

V. Proszę wypełnić formularz do *Telewizyjnego koncertu życzeń*[3].

Życzenia (D.)	Komu? (C.)	Kto życzy? (M.)
Wesołych Świąt Bożego Narodzenia, dużo zdrowia, uśmiechu i szczęścia w Nowym Roku	***pani Ani*** (pani Ania)	życzy John z Kanady
	1. .... (mama)	syn Daniel z rodziną
	2. .... (pan Jurek z Krakowa)	rodzina Kowalskich
	3. .... (babcia Barbara)	wnuczka Iza z Gdańska
	4. .... (pan profesor Nowak)	Marek z Wrocławia
	5. .... (syn i córka w Sydney)	rodzice
	6. .... (siostra Magda z rodziną)	brat Filip z Londynu
	7. .... (wnuki Jaś i Małgosia)	dziadek i babcia z Katowic
	8. .... (państwo Kowal)	przyjaciel z Warszawy

VI. W tym roku w grudniu pada śnieg i wieje silny wiatr. Jak się czują ludzie i zwierzęta na ulicy?

Rzeczowników w nawiasach proszę użyć w celowniku liczby pojedynczej, a następnie zamienić te zdania na zdania z zaimkami osobowymi i wpisać je do tabeli. Proszę pamiętać o kolejności wyrazów.

0) (Michał) ***Michałowi*** jest zimno.	***Jest mu zimno.***
a) (Pan policjant) .... jest bardzo gorąco.	
b) (Dzieci) .... jest wesoło.	
c) (Ptaki) .... jest zimno.	
d) (Pani w kiosku) .... jest bardzo zimno.	
e) (Koleżanka) .... jest w sam raz.	

---

[3]   Ćwiczenie opracowane przez moją studentkę Marię Kulanek.

f) (Kolega) .... jest trochę zimno.	
g) (Student) .... jest ciepło.	
h) (Robotnik) .... jest gorąco.	

VII. Z podanych czasowników proszę wybrać te, po których używamy lub możemy użyć
w zdaniu celownika.

> **pożyczać**, szukać, pić, czytać, pokazywać, mieć, gotować, oglądać, pisać,
> robić, mówić, słuchać, przyglądać się, znać, dawać, woleć, czekać na, prosić,
> pomagać, sprzątać, kochać, dziękować, interesować się, nosić, wynajmować,
> spotykać, myć, potrzebować, bronić, ufać, brać, wierzyć, podobać się,
> kupować, przeszkadzać, życzyć

0. **pożyczać**........................   1. ....   2. ....
3. ....   4. ....   5. ....
6. ....   7. ....   8. ....
9. ....   10. ....   11. ....
12. ....   13. ....   14. ....
15. ....   16. ....   17. ....
18. ....   19. ....

VIII. Z podanych wyrazów proszę ułożyć zdania w czasie teraźniejszym.

PRZYKŁAD:
Robert, podobać się, twój dom. **Robertowi podoba się twój dom.**

1. Ania, podobać się, twoja sukienka

    ....

2. Marek, podobać się, nowy rower

    ....

3. Beata, podobać się, ostatni film

    ....

4. Siostra, podobać się, nowe książki

    ....

5. Babcia, podobać się, ta płyta

....

6. Dziadek, podobać się, piękne kwiaty

....

IX. Proszę uporządkować słowa, tak aby powstało poprawne zdanie.

PRZYKŁAD:
Podoba się, Markowi, Kraków
Markowi podoba się Kraków

1. się, przyglądał, Robert, dziewczynie, pięknej

....

2. dziecku, książkę, czytał, ojciec, wieczorem

....

3. Krysia, mieszkanie, kolegi, wynajmuje, kuzynowi

....

4. Basia, wczoraj, pani, starszej, pomogła

....

5. pieniądze, Wojtek, siostrze, pożyczył

....

6. naszej, daliśmy, piękną, koleżance, książkę

....

7. zawsze, mojemu, ufać, mogę, bratu

....

8. w, Ala, prawdę, końcu, przyjaciółce, swojej, powiedziała

....

9. wnukom, pyszne, zrobiła, ciasto, babcia

....

10. ugotowała, swoim, wspaniały, dzieciom, mama, obiad

....

11. Adrian, wierzyć, swojemu, może, przyjacielowi

....

12. Piotrek, zadanie, z, koleżance, napisał, klasy

....

13. Iza, sąsiadce, posprzątała, mieszkanie, chorej

....

14. okna, Witek, wujkowi, umył, starszemu

....

15. w, ci, środę, kupiłam, płytę, Turnaua, Grzegorza

....

X. Proszę zmienić podane zdania według wzoru.

PRZYKŁAD:
Pani nie może jeść tłustego mięsa. **Pani nie wolno jeść tłustego mięsa.**

1. Robert nie może jeździć na nartach

    ....

2. Basia nie może palić.

    ....

3. Paweł nie może pić alkoholu.

    ....

4. Nie możesz zażywać tego lekarstwa.

    ....

5. Karol nie może tak długo pracować przy komputerze.

    ....

6. Babcia nie może jeździć w góry.

    ....

7. Dziecko nie może długo oglądać telewizji.

    ....

8. On nie może przebywać na słońcu.

    ....

XI. Proszę uzupełnić tekst odpowiednimi formami rzeczowników, przymiotników
i zaimków.

PRZYKŁAD:
Pożyczyłam **Ance** (Anka) tę książkę.

Lubię pożyczać swoje rzeczy (1) .... (mój dobry kolega).
Często też daję prezenty (2) .... (swoja rodzina). Zwykle mówię

(3) .... (rodzina), że ją kocham. Najbardziej ufam (4) .... (mój

brat). Lubię przyglądać się (5) .... (swój pies) i (6) .... (mały

kot), kiedy się bawią. (7) .... (moja przyjaciółka) podoba się mój dom

na wsi i też chciałaby się wyprowadzić z miasta. Czasami pomagam (8) .... (bab-

cia) i (9) .... (dziadek) w ogrodzie. Wieczorami czytam (10) .... (dzieci)

książki. Ostatnio kupiłam (11) .... (córka) interesującą książkę, a (12) ....

.... (syn) ciekawy film.

XII. Proszę uzupełnić tekst odpowiednimi formami rzeczowników, przymiotników
    i zaimków.

PRZYKŁAD:
Chętnie dam **ci** (ty) tę książkę.

Robert często mówi (1) .... (swoja dziewczyna) miłe rzeczy

i daje (2) .... (ona) drogie prezenty. (3) .... (brat) pożycza zwykle pienią-

dze, bo dużo zarabia. Najbardziej podobają (4) .... (on) się szybkie samochody.

Robert lubi też przyglądać się (5) .... (piękny zabytek – l.mn.). Wieczo-

rami odwiedza dziadków i często pokazuje (6) .... (babcia) wspaniałe zdjęcia, które

sam robi. (7) .... (Robert) nie przeszkadza, że dużo pracuje, ponieważ lubi

swoją pracę. Marzy też, żeby kupić (8) .... (rodzice) domek w górach.

XIII. Proszę rozwiązać test w parach. Jaki jesteś? Jaki będziesz w nowym roku? Proszę
     dokończyć zdania[4].

1. Lubię pomagać   a) rodzicom
                        b) współlokatorom
                        c) wszystkim ludziom
                        d) żadna odpowiedź nie jest prawidłowa

2. Ufam   a) mamie
                        b) przyjacielowi / przyjaciółce
                        c) wszystkim ludziom
                        d) żadna odpowiedź nie jest prawidłowa

3. O swoim problemie powiem a) siostrze / bratu
                        b) przyjaciółce / przyjacielowi
                        c) a), b), a także innym znajomym
                        d) żadna odpowiedź nie jest prawidłowa

---

⁴   Ćwiczenie przygotowane przez moją studentkę Marię Kulanek.

4. Mój najdroższy prezent oddam   a) rodzicom

b) przyjacielowi / przyjaciółce

c) biednym ludziom

d) żadna odpowiedź nie jest prawidłowa

Osoba zadająca pytania zaznacza odpowiedzi i na końcu wybiera jedną z czterech charakterystyk.

Najwięcej odpowiedzi a)	Najwięcej odpowiedzi b)	Najwięcej odpowiedzi c)	Najwięcej odpowiedzi d)
Jesteś osobą bardzo rodzinną. Pomagasz rodzicom, ufasz rodzeństwu. Dla innych jednak jesteś zbyt zamknięty. Czas to zmienić!	Gratulacje, masz przyjaciół! Pamiętaj, żeby im pomagać i dbać o nich bardzo troskliwie.	Cały świat to Twój dom, wszyscy ludzie to przyjaciele. Wszędzie czujesz się dobrze. W nowym roku spróbuj pomóc Twoim najbliższym i sąsiadom. O ważnych sprawach mów tylko przyjaciołom.	Albo jesteś bardzo tajemniczy, albo bardzo nieszczęśliwy. Nie ufasz rodzinie, znajomym, przyjacielowi. Nie masz przyjaciela? Czas to zmienić.

XIV. Zaimka w nawiasie proszę użyć w formie celownika.

PRZYKŁAD:
Nie chciał **jej** (ona) tego powiedzieć.

1. Marcin przyglądał się .... (ona) przez kilka minut. Była naprawdę interesującą dziewczyną.

2. Wybaczam .... (ty) – powiedziała Marysia do Pawła.

3. Patryk przestał .... (oni) wierzyć.

4. Basia już .... (my) nie ufa.

5. Musimy .... (wy) pomóc.

6. Nie podoba .... (ja) się twoje zachowanie.

7. .... (ja) nie pożyczyłeś tej książki, a .... (on) pożyczyłeś.

8. .... (ty) już nigdy nic nie powiem.

9. Dziękuję .... (wy) bardzo.

10. Życzymy .... (on) dużo szczęścia.

11. Czy możecie .... (my) to wytłumaczyć?

XV. Proszę ułożyć pytania do podkreślonych słów.

PRZYKŁAD:
<u>Jurkowi</u> podoba się ten film. **Komu podoba się ten film?**

1. Patryk przygląda się <u>obrazowi</u>. ....?
2. Kinga ufa <u>swojej koleżance</u>. ....?
3. Wiktoria pomogła <u>choremu koledze</u>. ....?
4. Kupiliśmy <u>babci</u> pantofle. ....?
5. Nauczycielka czytała <u>dzieciom</u> bajkę. ....?
6. Opowiedziałem <u>bratu</u> tę przygodę. ....?
7. Mówiłem o tym <u>rodzicom</u>. ....?
8. Przyglądaliśmy się <u>pięknemu zamkowi</u>. ....?
9. Młodsza siostra ciągle przeszkadza <u>Bartkowi</u>. ....?
10. Pokazali <u>kolegom</u> zdjęcia. ....?

XVI. Proszę ułożyć pytania do podkreślonych słów.

PRZYKŁAD:
Robert przygląda się <u>małemu</u> kotu. **Jakiemu kotu przygląda się Robert?**

1. Wiktor pomógł <u>sympatycznemu</u> panu. ....?
2. Ufam <u>doświadczonym</u> ludziom. ....?
3. Wierzę <u>starszej</u> koleżance. ....?
4. Czytałam książkę <u>małym</u> dzieciom. ....?
5. Wynajęliśmy pokój <u>miłej</u> dziewczynie. ....?
6. Marcel pożyczył pieniądze <u>nieuczciwemu</u> człowiekowi.

   ....?
7. Kupiłam prezenty <u>bliskiej</u> rodzinie. ....?
8. Kwiaty dam <u>życzliwemu</u> lekarzowi. ....?
9. Życzymy zdrowia <u>choremu</u> dziecku. ....?
10. Karolina pokazała drogę <u>obcej</u> pani. ....?

I.4. Kocham język polski
Biernik liczby pojedynczej

I. Podkreślone wyrazy proszę wpisać w odpowiednie miejsce w tabelkach. Proszę podkreślić kolorem końcówki.

Beata mieszkała z rodzicami w niewielkim domu blisko dużego miasta. Beata miała **młodszą siostrę** i starszego brata. Lubiła małego czarnego kota i dużego brązowego psa. Na śniadanie jadła zawsze pyszną kanapkę z czekoladą i piła gorące mleko. Do szkoły jeździła na rowerze. Po południu odrabiała zadanie domowe. Wieczorem oglądała film przyrodniczy. Potem często rozmawiała z koleżanką przez telefon.

BIERNIK – rzeczownik		
rodzaj męski	rodzaj żeński	rodzaj nijaki
żywotny	siostrę	
nieżywotny		

BIERNIK – przymiotnik		
rodzaj męski	rodzaj żeński	rodzaj nijaki
żywotny	młodszą	
nieżywotny		

II

A. W tabeli proszę znaleźć czasowniki, po których używamy biernika, a następnie połączyć je logicznie z odpowiednim wyrazem w formie biernika. Poniżej proszę napisać zdania.

czytam$_1$	maluje$_2$	piszemy$_3$	sok$_4$	obiad$_5$
szukam$_6$	macie$_7$	telewizję$_8$	zna$_9$	czekamy na$_{10}$
interesujesz się$_{11}$	kocha$_{12}$	zajmujesz się$_{13}$	uczę się$_{14}$	zadanie$_{15}$
potrzebujesz$_{16}$	przyglądacie się$_{17}$	robią$_{18}$	język angielski$_{19}$	oglądają$_{20}$
obraz$_{21}$	piją$_{22}$	gazetę$_{23}$	słucham$_{24}$	boję się$_{25}$
list$_{26}$	nauczyciela$_{27}$	samochód$_{28}$	jecie$_{29}$	dziewczynę$_{30}$

PRZYKŁAD:

1 – 23

Czytam gazetę.

1. ....
....

2. ....
....

3. ....
....

4. ....
....

5. ....
....

6. ....
....

7. ....
....

8. ....
....

9. ....
....

10. ....
....

B. Które czasowniki nie mają pary? Dlaczego?

1. ....
2. ....
3. ....
4. ....
5. ....
6. ....
7. ....
8. ....

III. Z podanych czasowników proszę wybrać te, po których używamy biernika.

> **jeść**, szukać, pić, opiekować się, mieć, lubić, bać się, oglądać, czytać, pisać, robić,
> uczyć się, słuchać, słyszeć, widzieć, znać, dawać, zajmować się, gotować, woleć,
> czekać na, prosić, pomagać, przyglądać się, sprzątać, kochać, interesować się,
> nosić, uprawiać, spotykać, myć, potrzebować, bronić, ufać, brać

0. **Jeść**......................   1. *pić* ....   2. *mieć* ....
3. *lubić* ....   4. *oglądać* ....   5. *czytać* ....
6. *pisać* ....   7. *robić* ....   8. *widzieć* ....
9. *znać* ....   10. *dawać* ....   11. *gotować* ....
12. *woleć* ....   13. *czekać na* ....   14. *prosić* ....
15. *sprzątać* ....   16. *kochać* ....   17. *nosić* ....
18. *uprawiać* ....   19. *myć* ....   20. *brać* ....
21. *słyszeć* ....   22. *spotykać* ....

IV. Proszę wybrać odpowiednie słowa z ramki i napisać, co kupujemy w jakim sklepie. Proszę pamiętać o odpowiedniej formie.

igła = needle   pierścionek - ring   wstążka - ribbon   obrączka - wedding ring   włóczka - wool

> **syrop**, chleb, krem, piłka, gazeta, mapa, tort, pierścionek, igła, długopis, masło,
> pralka, ryż, ciasto, wstążka, **aspiryna**, szampon, bilet tramwajowy, książka,
> telewizor, rakieta, obrączka, zeszyt, bułka, puder, mikrofalówka, ser, ciastko,
> atlas, rower, czasopismo, **plaster**, rogalik, włóczka, gumka do mazania, naszyjnik

W aptece możemy kupić **syrop, aspirynę, plaster**.

1. W piekarni możemy kupić *chleb, bułkę, rogalik,* ....

2. W sklepie spożywczym możemy kupić *masło, ser, ryż*

3. W perfumerii możemy kupić *krem, szampon, puder*

4. W pasmanterii możemy kupić *igłę, wstążkę, nici* *haberdashery*

5. W sklepie papierniczym możemy kupić *długopis, gumkę do mazania, zeszyt*

6. W księgarni możemy kupić *książkę, mapę, atlas*

7. W sklepie AGD możemy kupić *pralkę, telewizor, mikrofalówkę*

8. W cukierni możemy kupić *tort, ciasto, ciastko*

9. U jubilera możemy kupić *pierścionek, obrączkę, naszyjnik*

10. W kiosku możemy kupić *gazetę, czasopismo, bilet tramwajowy*

11. W sklepie sportowym możemy kupić *piłkę, rakietę, rower*

V. Proszę uzupełnić tekst odpowiednimi formami rzeczowników i przymiotników.

W (0) **środę** (środa) Elżbieta przyszła do domu późno wieczorem. Zjadła (1) *kanapkę* (kanapka) z pomidorem i wypiła (2) *gorące mleko* (gorące mleko). Potem włączyła (3) *telewizor* (telewizor) i obejrzała (4) *interesujący film* (interesujący film) o zwierzętach. Bardzo lubiła (5) *ten program* (ten program), ponieważ była psychologiem zwierzęcym. Miała w domu (6) *psa, kota* i *papugę* (pies, kot, papuga). Wszystkie zwierzęta bardzo się lubiły. Elżbieta dała (7) *jedzenie* (jedzenie) zwierzętom i zabrała (8) *psa Freda* (pies Fred) na (9) *spacer* (spacer). Kiedy wróciła ze spaceru, wzięła (10) *prysznic* (prysznic), przeczytała (11) *ciekawy artykuł* (ciekawy artykuł) w gazecie, chwilę rozmawiała przez (12) *telefon* (telefon) i w końcu około północy poszła spać.

VI. Proszę uzupełnić tekst odpowiednimi formami rzeczowników i przymiotników. *latarka - torch*

Kamil jutro pierwszy raz jedzie z kolegami na (0) **obóz** *camp* (obóz), nad (1) *jezioro* (jezioro). Będzie mieszkał pod namiotem. Będzie też pływał żaglówką, opalał się i kąpał się w jeziorze. Kamil cieszy się, bo bardzo lubi (2) *Pawła* (Paweł) i (3) *Marka* (Marek), a oni też jadą. Kamil musi spakować (4) *duży plecak* (duży plecak). Musi zabrać (5) *mały namiot* (mały namiot), (6) *dobrą latarkę* (dobra latarka) i (7) *ciepły śpiwór* (ciepły śpiwór). Martwi się tylko, ponieważ zobaczy (8) *mamę* (mama) i (9) *tatę* (tata) dopiero za (10) *miesiąc* (miesiąc). Kamil kocha też (11) *swojego psa Kajtka* (swój pies Kajtek). Będzie za nim tęsknił. Na obozie chłopcy będą grać w (12) *koszykówkę* (koszykówka) i w (13) *siatkówkę* (siatkówka). Kamil zabiera też (14) *ulubioną książkę* (ulubiona książka).

VII. Proszę odpowiednio połączyć wyrazy z kolumn A, B i C.

A	B	C
0. **czekać**	w	telefon
1. płacić	przez	miesiąc
2. prosić	za	**urlop**
3. iść	o	koszykówkę
4. jechać	za	kawę
5. martwić się	na	morze
6. mieć egzamin	**na**	przystanek
7. grać	nad	dziecko
8. rozmawiać	o	klucz

PRZYKŁAD:

Czekać na urlop.

1. płacić za kawę
2. prosić o klucz
3. iść na przystanek
4. jechać nad morze
5. martwić się o dziecko
6. mieć egzamin za miesiąc
7. grać w koszykówkę
8. rozmawiać przez telefon

VIII. Wyrazy z ramki proszę wpisać w poprawnej formie w odpowiednie miejsca w tabeli. Niektóre wyrazy można wstawić w dwa miejsca. Proszę uważać na przyimki.

uniwersytet, **godzina**, wykład, moment, jezioro, wykład, film, rok, przystanek, obiad, tydzień, kurs, chwila, lekcja, granica, góra, **chleb**, morze, ulica, minuta, **kawa**, konferencja, książka, dworzec, lotnisko, babcia, brat, **woda**, stadion, mecz, miesiąc, dół, łąka, tydzień, dwór, lody, koncert, poczta, lodowisko, ocean

góre
odmisko
oczte
otnisko
stadion
Tqke

Dokąd?	Kiedy?	Jak długo?	Po kogo / co?	Na co?
na	za	przez	po	na
uniwersytet *dół* *wykład* przystanek *dwór* ulicę dworzec				
za	godzinę	godzinę *moment rok tydzień chwilę minutę miesiąc*	chleb *książkę babcię brata kawę lody*	kawę *wykład film obiad kurs lekcję konferencję mecz lody koncert*
granicę				
nad				
wodę jezioro morze ocean				

IX. Proszę uzupełnić tekst odpowiednimi przyimkami z ramki.

> **na, przez, na, przez, za, po, na, na, na**

Zuzanna długo rozmawiała (0) **przez** telefon. Popatrzyła na zegarek. (1) ....*za*.... godzinę musiała pójść (2) ...*po*... siostrę (3) ...*na*... dworzec. Siostra przyjeżdżała z Gdańska, a Zuzanna nie widziała jej (4) ...*przez*...cały miesiąc. Dziewczyna pomyślała, że powinna zaprosić siostrę do restauracji (5) ...*na*... obiad. Po obiedzie mogłyby pójść (6) ...*na*... piękny spacer (7) ...*na*... krakowski Rynek. Wczoraj Zuzanna zarezerwowała też bilety (8) ...*na*... bardzo dobry spektakl w teatrze.

X. Podany tekst proszę uzupełnić odpowiednimi przyimkami z ramki.

> **o, przez, przez, przez, o, na, na, na, na, o, na, przez**

Pan Kowalski wszedł do hotelu i poprosił (0) **o** klucz. Zapytał też (1) ...*o*.... wiadomości dla niego. Recepcjonista odpowiedział (2) ...*na*... pytanie pana Kowalskiego bardzo uprzejmie. Potem Kowalski przeszedł (3) ...*przez*...hol i wszedł (4) ...*na*... drugie piętro. Gdy wszedł do pokoju, zadzwonił do swojej żony i długo rozmawiał (5) ...*przez*...telefon. Potem patrzył (6) ...*przez*...okno.

W końcu zadzwonił do recepcji i poprosił (7) ...O... wodę mineralną do pokoju. (8) ..przez.. chwilę przeglądał dokumenty. Przyjechał do Gdańska (9) na konferencję. Wieczorem pan Kowalski był zaproszony (10) na kolację do eleganckiej restauracji. Po kolacji chciał jeszcze pójść (11) na koncert muzyki dawnej.

XI. Proszę wybrać z ramki odpowiedni rzeczownik i dopisać go do czasownika i przyimka. Proszę pamiętać o dobrej formie gramatycznej.

> masło, **telefon**, pytanie, zdrowie, rachunek, koncert, piętro, granica, morze, ulica, okno, kawa

rozmawiać przez **telefon**

1. przechodzić przez .....ulicę.....
2. prosić o .....rachunek.....
3. patrzeć przez .....okno.....
4. odpowiadać na .....pytanie.....
5. jechać nad .....morze.....
6. pytać o .....zdrowie.....
7. zapraszać na .....koncert.....
8. wyjeżdżać za .....granicę.....
9. wchodzić na .....piętro.....
10. płacić za .....kawę.....
11. iść po .....masło.....

XII. Proszę uporządkować słowa tak, aby powstało poprawne zdanie.

PRZYKŁAD:
lubi, przez, długo, Marek, telefon, rozmawiać
Marek lubi długo rozmawiać przez telefon.

1. zapłaciła, kawę, Beata, za
   Beata zapłaciła za kawę
2. sobotę, na, w, basen, poszliśmy
   W sobotę poszliśmy na basen
3. o, kolegę, profesor, naszego, pytał
   profesor pytał o naszego kolegę

4. koncert, czeka, publiczność, na, pianisty, wspaniałego

Publiczność czeka na koncert wspaniałego pianisty

5. dziecko, martwią, rodzice, swoje, o, się

rodzice martwią się o swoje dziecko

6. wasz, prosili, adres, o

prosili o wasz adres

7. Renata, film, z, poszła, niedzielę, Dominikiem, w, na

w Niedzielę Renata poszła na film z Dominikiem

8. obiad, babcia, nas, na, zaprosiła, czwartek, w

W czwartek babcia zaprosiła nas na obiad

9. pójść, przedstawienie, czy, na, chciałabyś, wtorek, we

Czy chciałabyś pójść na przedstawienie we wtorek

10. Bielecka, konferencję, wyjechała, pani, na

Pani Bielecka wyjechała na konferencję

XIII. Proszę uzupełnić zdania odpowiednim zaimkiem osobowym.

0. Bardzo **was** (wy) lubimy. Czy wy też **nas** (my) lubicie?

1. To jest świetna książka. Znasz ...*ją*...?

2. Olek bardzo lubi Kasię, chociaż zawsze tak długo na ...*nią*... czeka!

3. Dlaczego nie ma dzisiaj Tomasza? Zapytaj o ...*niego*...!

4. Uważajcie w górach! Będziemy się o ...*was*... martwić.

5. Znasz ...*go*...? Tak, to przecież dyrektor Muszyński.

6. Nie czekaj na ...*mnie*... Wrócę bardzo późno.

7. Widziałeś te filmy? Tak, widziałem ...*je*... Nie podobały mi się.

8. Znacie ...*ich*...? Nie, nigdy nie spotkaliśmy tych studentów.

9. Nie mogę dłużej na ...*nich*... (oni) czekać. Nie mam czasu.

XIV. Proszę ułożyć pytania do podkreślonych słów.

PRZYKŁAD:
Czekam na siostrę. **Na kogo czekasz?**

1. Lubimy kuchnię francuską. *Co lubicie* ?

2. Znam tego sławnego artystę. *Kogo znasz* ?

3. Pytaliśmy o tę starszą panią. *O kogo pytaliście* ?
4. Martwią się o pracę. *O co martwią się* ?
5. Zapłaciliśmy za wycieczkę zagraniczną. *Za co zapłaciliście* ?
6. Jadę na dworzec po babcię. *Po kogo jedziesz na dworzec* ?
7. Odpowiedzieliśmy na list. *Na co odpowiedzieliście* ?
8. Prosiłem dyrektora o urlop. *O co prosiłeś dyrektora* ?
9. Przygotowuję referat. *Co przygotowujesz* ?
10. Uwielbiają kino włoskie. *Co uwielbiają* ?

XV. Proszę ułożyć pytania do podkreślonych słów.

PRZYKŁAD:
Elżbieta nosi zawsze krótką spódnicę. **Jaką spódnicę nosi zawsze Elżbieta?**

1. Czekam na szybką odpowiedź. *Na jaką odpowiedź czekasz* ?
2. Prosiliśmy o gorące kakao. *O jakie kakao prosiliście* ?
3. Pytali o nowego studenta. *O jakiego studenta pytali* ?
4. Lekarze operowali małe dziecko. *Jakie dziecko operowali lekarze* ?
5. Robert zna współczesnego poetę. *Jakiego poetę zna Robert* ?
6. Państwo Ciszewscy zarezerwowali egzotyczną wycieczkę.
   Jaką wycieczkę zarezerwowali państwo Ciszewscy ?
7. Poszedłem na film sensacyjny. *na jaki film poszedłeś* ?
8. Marta zwiedza zabytkowe miasto. *jakie miasto zwiedza Marta* ?
9. Łukasz bierze zawsze ogromną walizkę. *Jaką walizkę zawsze bierze Łukasz* ?
10. Na śniadanie zwykle jemy ciemny chleb. *jaki chleb zwykle jecie na śniadanie* ?

I.5. Tęsknię za przyjaciółmi
Narzędnik liczby pojedynczej i mnogiej

boisko - playground, pitch

zadbany - well-kept

grzeczny - polite, well-behaved

dobrany - well-suited

opiekować się - to look after

I. Podkreślone wyrazy proszę wpisać w odpowiednie miejsce w tabelkach. Proszę podkreślić kolorem końcówki.

Pan Grzegorz jest bardzo przystojnym mężczyzną. Jest lekarzem i pracuje w dużej klinice pod Poznaniem. Jego żona ma na imię Helena. Helena jest interesującą kobietą. Grzegorz i Helena są dobraną parą. Mają trzech synów. Ich synowie są grzecznymi i mądrymi dziećmi. Chodzą do szkoły i są pilnymi uczniami. Codziennie rano cała rodzina je razem śniadanie. Zwykle jedzą chleb z dżemem i piją kawę z mlekiem. Grzegorz i Helena jeżdżą do pracy samochodami, a dzieci jeżdżą autobusem. Grzegorz interesuje się filmem i astronomią, chłopcy interesują się przede wszystkim sportem, a Helena przepada za literaturą skandynawską. Helena zajmuje się też domem, a Grzegorz zajmuje się ogrodem. Chłopcy opiekują się psem i złotymi rybkami w akwarium. Dom Grzegorza i Heleny jest duży. Przed domem jest garaż, a za domem bardzo zadbany ogród. Między ich domem a domem sąsiadów jest niewielkie boisko do koszykówki. Helena, Grzegorz i synowie co roku spędzają wakacje nad ciepłym morzem.

NARZĘDNIK LICZBY POJEDYNCZEJ – rzeczownik		
rodzaj męski	rodzaj żeński	rodzaj nijaki
Poznaniem *filmem*	kobietą	mlekiem
mężczyzną sportem	*parą*	*morzem*
lekarzem domem	*astronomią*	
dżemem ogrodem	*literaturą*	
autobusem psem		

NARZĘDNIK LICZBY POJEDYNCZEJ – przymiotnik		
rodzaj męski	rodzaj żeński	rodzaj nijaki
przystojnym	interesującą	ciepłym
	dobraną	
	skandynawską	

NARZĘDNIK LICZBY MNOGIEJ	
rzeczownik	przymiotnik
uczniami	pilnymi
dziećmi	*grzecznymi*
samochodami	*mądrymi*
rybkami	

II. Proszę znaleźć w tekście wszystkie wyrażenia przyimkowe z narzędnikiem (przyimek
+ narzędnik).

PRZYKŁAD:
pod Poznaniem

1. *z dżemem*
2. *z mlekiem*
3. *za literaturą skandynawską*
4. *przed domem*
5. *za domem*
6. *między domem*
7. *nad ciepłym morzem*

III

A. W tabeli proszę znaleźć czasowniki, po których używamy (możemy użyć) narzędnika,
a następnie połączyć je logicznie z odpowiednim wyrazem w formie narzędnika. Poniżej proszę napisać zdania.

farba = paint

interesuję się$_1$	maluje$_2$	piszemy$_3$	krajem$_4$	łyżką$_5$
szukam$_6$	jedziecie$_7$	telewizją$_8$	zna$_9$	czekamy na$_{10}$
interesujesz się$_{11}$	kocha$_{12}$	zajmujesz się$_{13}$	uczę się$_{14}$	filmem$_{15}$
potrzebujesz$_{16}$	przepadacie za$_{17}$	tęsknię za$_{18}$	farbami$_{19}$	oglądają$_{20}$
domem$_{21}$	piją$_{22}$	sportem$_{23}$	opiekuję się$_{24}$	boję się$_{25}$
słuchacie$_{26}$	piórem$_{27}$	samochodem$_{28}$	jecie$_{29}$	kotem$_{30}$

PRZYKŁAD:
1 – 23
Interesuję się sportem.

tęsknić za + instr. – to miss

1. 7 + 28
   jedziecie samochodem
2. 13 + 21
   zajmujesz się domem
3. 3 + 27
   piszemy piórem
4. 2 + 19
   maluję farbami
5. 11 + 15
   interesujesz się filmem
6. 24 + 30
   opiekuję się kotem
7. 29 + 5
   jecie łyżką
8. 18 + 4
   tęsknię za krajem
9. 17 + 8
   przepadacie za telewizją

przepadać za – to be fond of, go for

B. Które czasowniki nie mają pary? Dlaczego?

1. szukać kogoś/czegoś
2. zna kogoś/coś
3. czekać na kogoś/coś
4. oglądać kogoś/coś
5. uczyć się czegoś
6. bać się kogoś/czegoś
7. kochać kogoś/coś
8. pić coś
9. słuchać kogoś/czegoś
10. potrzebować kogoś/coś

IV. Proszę przeczytać informacje w tabelce i napisać, kto się czym interesuje i kto się czym nie interesuje.

Imię	Czym się interesuje?	Czym się nie interesuje?
Julka	literatura amerykańska, tenis, języki obce	lekkoatletyka, narciarstwo, samochody
Bartek	włoskie kino, podróże, komputery	teatr, rzeźba, piłka nożna
Marta	psychologia, gotowanie, muzyka rockowa	malarstwo, fizyka, sport
Kacper	koszykówka, kultura Indian, technika	biologia, balet, opera

PRZYKŁAD:

Julka interesuje się literaturą amerykańską, tenisem i językami obcymi, a nie interesuje się lekkoatletyką, narciarstwem i samochodami.

1. ....
2. ....
3. ....

V. Proszę przeczytać informacje w tabelce i napisać zdania o tych osobach.

Imię	Kim jest?	Czym się interesuje?	Czym się zajmuje?	Kim / czym się opiekuje?	Czym jeździ?	Za czym / za kim tęskni?	Za czym przepada?	Gdzie spędza wakacje?	Co pije na śniadanie?	Czym pisze?
Walter	Niemiec	sport	fizyka	chomik	rower	wakacje	ciasta	morze	kawa + mleko	pióro
Marie	Francuzka	muzyka	tłumaczenie	kot	autobus	rodzice	lody	ocean	woda + sok	długopis
Magda	Polka	teatr	psychologia	dziecko	samochód	chłopak	czekolada	rzeka	herbata + cukier	ołówek
Milan	Słowak	film	informatyka	papuga	tramwaj	podróże	owoce	jezioro	kawa + śmietanka	flamaster

PRZYKŁAD:

Walter jest Niemcem, interesuje się sportem, zajmuje się fizyką, opiekuje się chomikiem, jeździ rowerem, tęskni za wakacjami, wakacje spędza nad morzem, na śniadanie pije kawę z mlekiem, pisze piórem.

1. ....

2. ....

3. ....

zarabiać//zarobić – to earn (pieniądze)

VI. Proszę uzupełnić poniższy tekst poprawnymi formami podanych wyrazów.

Karolina jest (0) **Polką.** Jest (1) *niska, szczupła, dziewczyna* (niska, szczupła, dziewczyna). Jej chłopak jest (2) *przystojnym Hiszpanem* (przystojny Hiszpan). Ma na imię Carlos. Carlos od dawna mieszka w Polsce. Bardzo mu się tu podoba. Carlos jest (3) *informatykiem*
(informatyk) i zajmuje się (4) *programami komputerowymi* (program komputerowy – l.mn.).
W Polsce przepada za (5) *bigosem* (bigos) i (6) *barszczem czerwonym* (barszcz czerwony) (7) z *uszkami* (uszko – l.mn.). Jednak często tęskni za (8) *Hiszpanią*, ...
słońcem i *owocami* (Hiszpania, słońce, owoc – l.mn.). Najbardziej tęskni (9) *za*
zimą (zima), kiedy nie ma słońca i jest zimno. Karolina interesuje się (10) *językami*
obcymi (język obcy – l.mn.). Nie ma jednak dużo czasu na naukę, gdyż trzy razy w tygodniu opiekuje się (11) *małym dzieckiem* (małe dziecko). W ten sposób zarabia pieniądze. Karolina
i Carlos lubią też zwierzęta. Często zajmują się (12) *bezdomnymi kotami* (bezdomny kot –
l. mn.). Na śniadanie piją kawę z (13) *mlekiem* (mleko) i jedzą bułki z (14) *serem*
(ser). (15) *latem* (lato) wolny czas spędzają nad (16) *wodą* (woda). Często też jeżdżą (17) *rowerami* (rower – l.mn.).

VII. Proszę uzupełnić tekst odpowiednimi przyimkami z ramki.

nad, z, ze, pod, za, nad, przed, między, za

Pokój był duży i jasny. (0) **Nad** stołem wisiała ładna lampa. (1) *pod* krzesłem spał rudy kot.
(2) *za* oknem każdy mógł zobaczyć piękny park (3) *ze* starymi drzewami. (4) *nad* łóżkiem wisiały cenne obrazy, a (5) *przed* łóżkiem leżał miękki dywan. (6) *między* szafą a biurkiem
stał wygodny fotel. Kasia przepadała (7) *za* tym pokojem. Czuła się tu wspaniale. Często
siedziała na fotelu i piła herbatę (8) *z* cytryną.

VIII. Proszę uzupełnić zdania odpowiednim zaimkiem osobowym.

0. Czy mogę iść z **wami** (wy) do kina?
1. Oczywiście, że możesz iść z ..nami..
2. To jest mały biedny piesek. Muszę się ..nim.. zaopiekować!
3. Zupa pomidorowa to najlepsza zupa na świecie. Przepadamy za ..nią.....!
4. Wiesz, że Marek cię bardzo lubi? On naprawdę się ..tobą.. interesuje.
5. Nie chcę iść tam sama, proszę cię, chodź ze ..mną..
6. Rafał i Luiza są bardzo mili. Jadę z ..nimi.. nad morze.
7. Nie mogę w ogóle spać. Nade ..mną.. mieszkają ludzie, którzy bardzo głośno się zachowują.
8. Tymi kwiatami nikt się nie opiekuje. Muszę się ..nimi.. zająć.

IX. Proszę ułożyć pytania do podkreślonych słów.

PRZYKŁAD:
Michał poszedł do kina z <u>Alą</u>. **Z kim poszedł do kina Michał?**

1. Jarek zajmuje się <u>ogrodem</u> .....Czym się zajmuje Jarek.....?
2. Agnieszka przepada za <u>kinem</u>. Za czym przepada Agnieszka.....?
3. Piotrek jest <u>strażakiem</u>. Kim jest Piotrek.....?
4. Bogdan tęskni za <u>Edytą</u>. Za kim tęskni Bogdan.....?
5. Chłopcy interesują się <u>siatkówką</u>. Czym się interesują chłopcy.....?
6. Kinga interesuje się <u>Wojtkiem</u>. Kim się interesuje Kinga.....?
7. Marzena opiekuje się <u>babcią</u>. Kim się opiekuje Marzena.....?
8. Michał jeździ do pracy <u>samochodem</u>. Czym jeździ do pracy Michał.....?
9. Dominik pisze <u>piórem</u>. Czym pisze Dominik.....?
10. Jadwiga pije kawę z <u>cukrem</u>. Z czym Jadwiga pije kawę.....?

X. Proszę ułożyć pytania do podkreślonych słów.

PRZYKŁAD:
Wiktoria spotyka się z <u>przystojnym</u> chłopcem. **Z jakim chłopcem spotyka się Wiktoria?**

1. Weronika interesuje się filmem <u>japońskim</u>. Jakim filmem się interesuje Weronika?
2. Patrycja zajmuje się <u>małym</u> dzieckiem. Jakim dzieckiem się zajmuje Patrycja?

3. Marcin tęskni za <u>słoneczną</u> pogodą. *Za jaką pogodą tęskni Marcin* ?

4. Robert przepada za lodami <u>waniliowymi</u>. *Za jakimi lodami przepada Robert* ?

5. Dziewczyny umawiają się z <u>inteligentnymi</u> chłopcami.
   Z jakimi chłopcami się umawiają dziewczyny ?

6. Witek interesuje się literaturą <u>hiszpańską</u>. *Jaką literaturą się interesuje Witek* ?

7. Przemek zajmuje się psychologią <u>społeczną</u>. *Jaką psychologią się zajmuje Przemek* ?

8. Chłopcy tęsknią za <u>dalekimi</u> podróżami. *Za jakimi podróżami tęsknią chłopcy* ?

9. Za <u>starym</u> domem był duży ogród. *Za jakim domem był duży ogród* ?

10. Między <u>pięknymi</u> kwiatami siedział kot. *Między jakimi kwiatami siedział kot* ?

I.6. W Krakowie, na Rynku
Miejscownik liczby pojedynczej i mnogiej

I. W tabeli proszę znaleźć pary rzeczowników w formie mianownika i miejscownika. Poniżej proszę napisać te pary wraz z przyimkiem.

przystanek$_1$	w teatrze$_2$	dach$_3$	w kinie$_4$	łazienka$_5$	pudełko$_6$
dom$_7$	kuchnia$_8$	w tramwaju$_9$	miasto$_{10}$	róg$_{11}$	noga$_{12}$
babcia$_{13}$	samochód$_{14}$	stół$_{15}$	niebo$_{16}$	biurko$_{17}$	szafa$_{18}$
na niebie$_{19}$	na rogu$_{20}$	na przystanku$_{21}$	o babci$_{22}$	kino$_{23}$	na stole$_{24}$
w szafie$_{25}$	na dachu$_{26}$	w mieście$_{27}$	teatr$_{28}$	tramwaj$_{29}$	na biurku$_{30}$
w samochodzie$_{31}$	w łazience$_{32}$	w domu$_{33}$	na nodze$_{24}$	w kuchni$_{25}$	w pudełku$_{36}$

PRZYKŁAD:

1–21

przystanek – na przystanku

1. ....
2. ....
3. ....
4. ....
5. ....
6. ....
7. ....
8. ....
9. ....
10. ....
11. ....
12. ....
13. ....
14. ....
15. ....

16. ....

17. ....

II. Rzeczowniki z ćwiczenia I w formie miejscownika proszę wpisać w odpowiednie miejsca w tabeli.

MIEJSCOWNIK LICZBY POJEDYNCZEJ – rzeczownik		
rodzaj męski	rodzaj żeński	rodzaj nijaki
-e w teatrze	**-e** w szafie	**-e** w kinie
-u na przystanku	**-i** o babci	**-u** w pudełku

UWAGA! WYJĄTEK! ....

III. Podkreślone wyrazy proszę wpisać w odpowiednie miejsce w tabelce.

W dużym, prostokątnym pokoju stał okrągły stół. Obok niego stały cztery krzesła. W rogu pokoju stało biurko. Na tym starym, drewnianym biurku leżało kilka książek. Po lewej stronie stała sofa w kolorze zielonym. Na zielonej, miękkiej sofie były trzy czerwone poduszki. Na jasnej podłodze leżał kolorowy dywan. Na kolorowym dywanie spał ogromny czarno-biały pies.

MIEJSCOWNIK LICZBY POJEDYNCZEJ – przymiotnik		
rodzaj męski	rodzaj żeński	rodzaj nijaki
dużym	lewej	starym

IV. Z podanego tekstu proszę wypisać podkreślone słowa i dopisać do nich formę mianownika liczby pojedynczej.

Krajobraz był bardzo ładny. (0) Na zielonych pagórkach stały domki. (1) W małych domkach (2) przy stołach siedzieli ludzie i rozmawiali. W (3) czystych oknach stały kolorowe kwiaty. (4) Przy drewnianych chatach były niewielkie ogródki.(5) W ogródkach rosły kwiaty i warzywa. (6) Na starych drzewach siedziały ptaki i głośno śpiewały. (7) Przy białych ścianach wygrzewały się koty.

PRZYKŁAD:
(na) zielonych pagórkach – **zielony pagórek**

1. mały domek
2. stół
3. czyste okno
4. drewniana chata
5. ogródek
6. stare drzewo
7. biała ściana

V. Proszę odpowiedzieć na pytania, korzystając z wyrażeń z ramki.

> apteka, cukiernia, piekarnia, **księgarnia**, kwiaciarnia, sklep spożywczy, sklep obuwniczy, sklep odzieżowy, drogeria, sklep AGD, sklep papierniczy

artykuły gospodarstwa domowego

PRZYKŁAD:
Gdzie kupiłeś książkę? **W księgarni.**

1. Gdzie kupiłeś aspirynę? W aptece
2. Gdzie kupiłaś róże? W kwiaciarni
3. Gdzie kupiłaś sweter? W sklepie odzieżowym
4. Gdzie kupiłeś lodówkę? W sklepie AGD
5. Gdzie kupiłaś mleko i masło? W sklepie spożywczym
6. Gdzie kupiłaś tort? W cukierni
7. Gdzie kupiłaś chleb i bułki? W piekarni
8. Gdzie kupiłeś buty? W sklepie obuwniczym
9. Gdzie kupiłeś szampon i mydło? W drogerii
10. Gdzie kupiłeś długopis i ołówek? W sklepie papierniczym

VI. Proszę napisać, gdzie oni byli.

Imię	Gdzie był / była?
Sara	(Francja) Sara była we **Francji**.
Andrzej	(Szwecja) był we Szwecji
Szymon	(Hiszpania) był w Hiszpanii
Ryszard	(Rosja) był w Rosji
Karolina	(Włochy) była we Włoszech
Krzysiek	(Brazylia) był w Brazylii
Małgorzata	(Stany Zjednoczone) była we Stanach Zjednoczonych
Jan	(Wielka Brytania) był w Wielkiej Brytanii
Magda	(Kanada) była w Kanadzie
Alina	(Niemcy) była w Niemczech
Tymoteusz	(Ukraina) był na Ukrainie
Dorota	(Portugalia) była w Portugalii

VII. Proszę połączyć imię z krajem i polskim miastem.

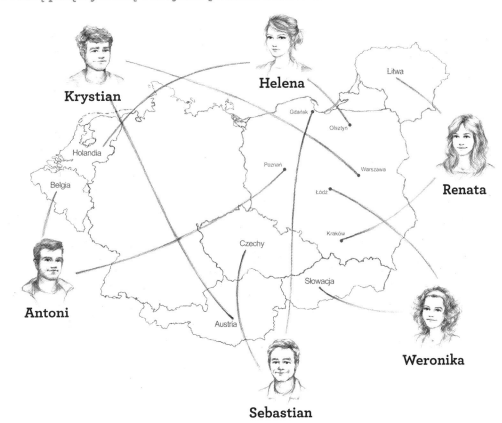

imię	W jakich krajach był / była?	W jakich polskich miastach był / była?
Krystian	Był w Austrii.	Był w Warszawie.
Renata	Była na Litwie	Była w Krakowie
Sebastian	Był w Czechach	Był w Gdańsku
Helena	Była w Holandii	Była w Olsztynie
Antoni	Był w Belgii	Był w Poznaniu
Weronika	Była na Słowacji	Była w Łodzi

VIII

A. Proszę wybrać słowo z ramki i podpisać obrazek, a następnie napisać zdanie, gdzie on lub ona jest. Proszę uważać na odpowiedni przyimek – **na** lub **w**.

meadow ↖

łąka, przystanek, plac, targ, poczta, uniwersytet, dworzec, lotnisko, basen, lodowisko, ulica

<u>**PRZYKŁAD**</u>: **przystanek**

On jest na przystanku.

1. na basenie

2. na dworcu

3. na łące

4. _na lodowisku_

5. _na lotnisku_

6. _na placu_

7. _na poczcie_

8. _na targu_

9. _na ulicy_

10. _na uniwersytecie_

B. Proszę wybrać słowo z ramki i podpisać obrazek, a następnie napisać zdanie, gdzie on lub ona jest. Proszę uważać na odpowiedni przyimek – **na** lub **w**.

> las, samochód, samolot, pociąg, biblioteka, restauracja, opera, teatr, szpital, ogród

__PRZYKŁAD__: restauracja

Ona jest w restauracji.

1. W bibliotece

2. W ogrodzie

3. w lesie

4. W operze

5. W pociągu

6. W samochodzie

7. w samolocie

8. W szpitalu

9. w teatrze

IX. Proszę popatrzeć na obrazek i napisać, gdzie znajdują się podane rzeczy. Proszę użyć form miejscownika i odpowiedniego przyimka.

PRZYKŁAD:

Gdzie stoją książki? Książki stoją na półkach.

stołek

1. Gdzie śpi kot?
   na kanapie

2. Gdzie leżą okulary?
   na stole / na stoliku

3. Gdzie stoi kaktus?
   na parapecie

4. Gdzie leży pies?
   na dywanie / dywaniku

5. Gdzie wiszą ubrania?
   w szafie

6. Gdzie jest komputer?
   na biurku

7. Gdzie leży dywan?
   na podłodze

8. Gdzie stoi telewizor?
   na stole / stoliku

9. Gdzie stoi duży kwiat?
   na stole

10. Gdzie wisi obrazek?
    na ścianie

11. Gdzie stoi fotografia?
    na półce

12. Gdzie stoi krzesło?
    na rogu / przy biurku

X. Proszę uzupełnić tekst odpowiednimi formami rzeczowników i przymiotników w liczbie mnogiej.

PRZYKŁAD:

W **górach** (góra) bardzo dobrze wypoczywam.

reception   *graceful, elegant*

Przyjęcie było bardzo <u>wytworne</u>. W (1) ..... *dużych salach* ..... (duża sala) przy (2) ..... *długich* .... *stołach* (długi stół) siedziały eleganckie panie w (3) ..... *wieczorowych* ..... (wieczorowa *sukniach*)

sufit – ceiling

suknia) i panowie w (4) *ciemnych garniturach* (ciemny garnitur). Na (5) *ścianach* (ściana) wisiały cenne obrazy znanych artystów. Na (6) *sufitach* (sufit) wisiały ogromne lampy. Ludzie rozmawiali o (7) *ważnych sprawach* (ważna sprawa) i o (8) *osobistych problemach* (osobisty problem). Po (9) *trudnych rozmowach* (trudna rozmowa) ludzie zaczęli tańczyć. Po (10) *tańcach* (taniec) wszyscy poszli do domów.

XI. Podany tekst proszę uzupełnić odpowiednimi przyimkami z ramki.

> **w, na, przy, o, po**

Kiedy wczoraj spotkaliśmy się **w** domu u Iwony, długo rozmawialiśmy (1) *o* ostatnim filmie, który widzieliśmy (2) *w* zeszłym tygodniu. Potem zjedliśmy kolację. Siedzieliśmy wszyscy (3) *przy* stole (4) *w* kuchni i dyskutowaliśmy (5) *o* naszych planach. (6) *Na* stole stała gorąca herbata i pyszne słodkie bułeczki. Zjedliśmy wszystko! Potem marzyliśmy (7) *o* lecie i (8) *o* kąpieli w ciepłych morzach. (9) *Po* kolacji poszliśmy do domów. Niestety, ja stałem (10) *na* przystanku prawie pół godziny, ale tramwaj nie przyjechał. Poszedłem więc pieszo. (11) *w* domu byłem dopiero pięć (12) *po* dziesiątej.

XII. Proszę uzupełnić zdania odpowiednimi przyimkami: w, na, po.

PRZYKŁAD:
Nie lubię chodzić **po** sklepach.

1. *Na* ulicach było dużo ludzi.
2. Dzieci biegały *po* całym parku.
3. *Po* plaży spacerowali turyści.
4. *W* lesie było cicho i ciemno.
5. *Na* targu można kupić warzywa i owoce.
6. *W* tramwaju nie było wolnych miejsc.
7. Spotkałem Renatę *na* basenie.
8. Goście chodzili *po* korytarzu.   *korytarz – corridor*
9. *Na* koncercie był też Antoni.
10. U babci *na* imieninach było bardzo przyjemnie.

XIII. Proszę uzupełnić poniższe zdania odpowiednią formą zaimka.

PRZYKŁAD:

Myślisz o mnie? Tak, myślę cały czas o **tobie** (ty).

1. W tym domu spędziłam dzieciństwo. W ...*nim*... czuję się najlepiej.
2. Widzisz tę wysoką górę? Na ...*niej*.... znajduje się schronisko.
3. Mówiliście o nas? Nie, nie mówiliśmy o ...*was*...
4. Cały czas rozmawiamy o wakacjach. Jeszcze będziemy o ...*nich*... rozmawiać.
5. To jest najnowsze muzeum. W ...*nim*... jest wystawa, o której ci mówiłam.
6. Jesteś taki wspaniały. Przy ...*tobie*... zapominam o wszystkim.
7. Przyniosłaś tę książkę? Przepraszam, zapomniałam o ...*niej*...
8. Musimy już jechać. Nie zapominajcie o ...*nas*.... i często piszcie.
9. Nikt do mnie dziś nie zadzwonił. Nikt o ...*mnie*... nie pamięta.
10. Tam siedzą dziewczyny, przy ...*nich*... jest miejsce, usiądź tam!

XIV. Proszę ułożyć pytania do podkreślonych wyrazów.

PRZYKŁAD:

Paweł myśli o <u>pracy</u>. **O czym myśli Paweł?**

1. Bartek zakochał się w <u>Dorocie</u>. *W kim zakochał się Bartek* ?
2. Dziecko czuje się bezpiecznie przy <u>matce</u>. *Przy kim czuje się bezpiecznie dziecko* ?
3. Magda dyskutuje o <u>polityce</u>. *O czym dyskutuje Magda* ?
4. Chłopcy marzą o <u>nartach</u>. *O czym marzą chłopcy* ?
5. Parking jest przy <u>muzeum</u>. *Przy czym jest parking / Gdzie jest* ?
6. Łucja mieszka w <u>górach</u>. *Gdzie mieszka Łucja* ?
7. Długopis leży na <u>biurku</u>. *Na czym leży długopis / Gdzie* ?
8. Studenci rozmawiają o <u>egzaminie</u>. *O czym rozmawiają studenci* ?
9. Czytałem o <u>nowych wynalazkach</u>. *O czym czytałeś* ?
10. Pieniądze trzymam w <u>banku</u>. *Gdzie trzymasz pieniądze* ?

XV. Proszę ułożyć pytania do podkreślonych wyrazów.

PRZYKŁAD:

Dziewczyny mówią o literaturze <u>francuskiej</u>. **O jakiej literaturze mówią dziewczyny?**

1. Barbara zakochała się w <u>wysokim</u> chłopcu. *W jakim chłopcu zakochała się Barbara* ?
2. Klucze trzymam w <u>czarnej</u> torebce. *W jakiej torebce trzymasz klucze* ?

3. Andrzej i Krystyna spotkali się w <u>pięknym</u> parku. _W jakim parku spotkali się Andrzej i Krystyna?_

4. W <u>nowoczesnym</u> muzeum była wystawa. _W jakim muzeum była wystawa?_

5. Dzieci rozmawiały o <u>sympatycznym</u> nauczycielu. _O jakim nauczycielu rozmawiały dzieci?_

6. Przeczytałam o tym w <u>ciekawej</u> książce. _W jakiej książce przeczytałaś o tym?_

7. Przy <u>wąskiej</u> ulicy stał zabytkowy budynek. _Przy jakiej ulicy stał zabytkowy budynek?_

8. Na <u>szerokiej</u> plaży opalali się ludzie. _Na jakiej plaży opalali się ludzie?_

9. W <u>starym</u> kinie było niewiele osób. _W jakim kinie było niewiele osób?_

10. W <u>dużym</u> akwarium pływało kilka rybek. _W jakim akwarium pływało kilka rybek?_

XVI. Proszę ułożyć pytania do podkreślonych wyrazów.

PRZYKŁAD:

Dzieci w <u>ciepłych</u> kurtkach szły do szkoły. **W jakich kurtkach dzieci szły do szkoły?**

1. Monika marzy o <u>egzotycznych</u> krajach. _O jakich krajach marzy Monika?_

2. Rodzice rozmawiali o <u>wakacyjnych</u> planach. _O jakich planach rozmawiali rodzice?_

3. W <u>głębokich</u> fotelach siedzieli starsi panowie. _W jakich fotelach siedzieli starsi panowie?_

4. Na <u>wysokich</u> półkach stały książki. _Na jakich półkach stały książki?_

5. W <u>górskich</u> rzekach jest bardzo zimna woda. _W jakich rzekach jest bardzo zimna woda?_

I.7. Tu pracują inżynierowie, projektanci i graficy
Mianownik liczby mnogiej rodzaju męskoosobowego

I. Proszę wybrać z ramki odpowiedni słowo i podpisać rysunki.

PRZYKŁAD:

W konsulacie pracują konsule / <u>konsulowie</u>.

1. W szkole pracują <u>nauczyciele</u> / nauczycieli.
2. Dwaj panów / <u>panowie</u> szli ulicą.
3. <u>Uczniowie</u> / ucznie siedzieli w klasie.
4. <u>Projektanci</u> / projektantowie mają bardzo ciekawą pracę.
5. Kosmonautowie / <u>kosmonauci</u> latają w kosmos.
6. Adwokatowie / <u>adwokaci</u> bronią ludzi w sądzie.
7. Kucharzowie / <u>kucharze</u> przygotowują potrawy.
8. Fryzjerzy / <u>fryzjerowie</u> robią fryzury.
9. <u>Prezydenci</u> / prezydentowie różnych państw dyskutowali o tym problemie.
10. Pasażerzy / <u>pasażerowie</u> samolotu byli przestraszeni.

II. Proszę wybrać z ramki odpowiednie słowo i podpisać rysunki.

> stolarze, profesorowie, studenci, sportowcy, marynarze, architekci, policjanci, inżynierowie, dziennikarze, lekarze, nauczyciele, kierowcy, królowie, sędziowie, informatycy, **dentyści**

PRZYKŁAD: dentyści

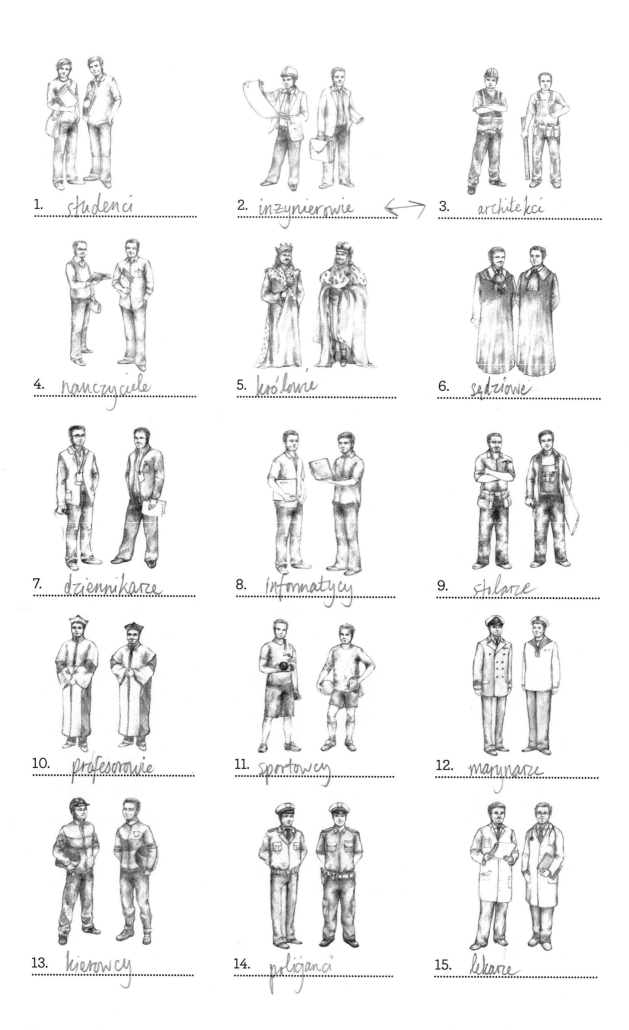

1. studenci

2. inżynierowie ⟵ ⟶ 3. architekci

4. nauczyciele

5. królowie

6. sędziowie

7. dziennikarze

8. informatycy

9. stolarze

10. profesorowie

11. sportowcy

12. marynarze

13. kierowcy

14. policjanci

15. lekarze

III. Proszę napisać, jak nazywają się mieszkańcy tych krajów.

PRZYKŁAD: (Polska) Polacy

1. (Wielka Brytania) Brytyjczycy

2. (Belgia) Belgowie

3. (Czechy) Czesi

4. Finlandia (Finowie)

5. Francja (Francuzy)

6. (Kanada) Kanadyjczycy

7. (Litwa) Litwini

8. (Niemcy) Niemcy

9. (Rosja) Rosjanie

10. (Stany Zjednoczone) Amerykanie

11. (Włochy) Włosi

IV. Proszę uzupełnić tekst odpowiednimi formami rzeczowników.

A oto zdjęcie mojej rodziny. Po prawej stronie stoją (0) **dziadkowie** (dziadek), obok nich trzej moi (1) ....wujkowie.... (wujek), po lewej stronie moi (2) ....bracia.... (brat), a poniżej nich trzej moi (3) ....kuzyni.... (kuzyn). Obok nich moi mali (4) ....bratankowie....(bratanek). Tu na dole stoją (5) ....szwagrowie....(szwagier) i oczywiście moi (6) ....teściowie.... (teść), a tu w rogu są moi (7) ....synowie.... (syn).

V. Proszę przeczytać definicję i napisać, kto to jest, a następnie utworzyć formę mianownika liczby mnogiej.

PRZYKŁAD:
Osoba z innego miasta lub kraju, która podróżuje i zwiedza różne miejsca, to: **turysta – turyści.**

1. Mężczyzna, który ma wędkę i łowi ryby, to: ....rybak – rybacy....
2. Mężczyzna, która jeździ na rowerze, to: ....rowerzysta – rowerzyści....
3. Mężczyzna, który ma koronę i rządzi krajem, to: ....król – królowie....

4. Mężczyzna, który jest w armii, to: *żołnierz - żołnierze*
5. Mężczyzna, który opiekuje się ogrodami, to: *ogrodnik - ogrodnicy*
6. Mężczyzna, który jest fanem drużyny piłkarskiej, to: *kibic - kibice*
7. Mężczyzna, który kolekcjonuje różne rzeczy, to: *kolekcjoner - kolekcjonerzy*
8. Mężczyzna, który pracuje w kasie, to: *kasjer - kasjerzy*
9. Mężczyzna, który prowadzi taksówkę, to: *taksówkarz - taksówkarzy*
10. Mężczyzna, który ma dzieci, to: *ojciec - ojcowie*

VI. Proszę podkreślić właściwą formę.

PRZYKŁAD:

Dobrzy / dobre uczniowie zrobili ten projekt.

1. Młode / młodzi ludzie lubią się bawić w pubach.
2. Złe / źli kierowcy nie powinni prowadzić samochodów.
3. Koszykarze są bardzo wysokie / wysocy.
4. Interesujący / interesujące artyści pokazywali swoje prace.
5. Mali / małe chłopcy grali w piłkę.
6. „Drogie / Drodzy Dziadkowie!" – tak zacząłem list.
7. Uprzejme / uprzejmi panowie pomogli mi przenieść ciężką walizkę.
8. Życzliwe / życzliwi lekarze pracują w tym szpitalu.
9. Moi sąsiedzi są bardzo pomocne / pomocni.
10. Pracowici / pracowite studenci uczą się bardzo dużo.

VII. Proszę podkreślić właściwą formę.

PRZYKŁAD:

Moi / moje bracia są bardzo sympatyczni.

1. Twoje / twoi rodzice dużo pracują.
2. Nasi / nasze kuzyni wyjechali do Stanów Zjednoczonych.
3. Wasze / wasi sąsiedzi zachowują się bardzo głośno.
4. Moje / moi uczniowie napisali to opowiadanie.
5. Twoi / twoje pracownicy są bardzo punktualni.
6. Nasze / nasi sportowcy są zdyscyplinowani.
7. Wasi / wasze synowie nie są dobrze wychowani.
8. Moje / moi koledzy mieszkają za miastem.

VIII. Proszę uzupełnić podany tekst odpowiednimi formami rzeczowników i przymiotników.

(0) **Kochani Rodzice** (kochany rodzic)!

Jestem już dwa dni w Szwecji. Czuję się tu bardzo dobrze. (1) _Szwedzi_ (Szwed) są bardzo
(2) _serdeczni_ (serdeczny) i (3) _mili_ (miły). (4) _przyjaciele_ (przyjaciel), którzy mnie
tu zaprosili, cały czas się mną opiekują. (5) _ludzie_ (człowiek), których poznałam, chcą
mi we wszystkim pomagać. Dzisiaj po raz pierwszy byłam w firmie, w której będę pracować.
Pracują tu (6) _projektanci_ (projektant), (7) _dekoratorzy_ (dekorator) i (8) _architekci_
(architekt) oraz (9) _inżynierowie_ (inżynier). Wszyscy przyjęli mnie bardzo ciepło. Dwaj
(10) _kierownicy_ (kierownik) pokazali mi moje biurko. Naprawdę czuję się tu świetnie.
Mam nadzieję, że jesteście (11) _zdrowi_ (zdrowy). Nie bądźcie (12) _smutni_ (smutny).
Zobaczymy się przecież za pół roku.

Całuję i pozdrawiam wszystkich,

Wasza Basia

IX. Z ćwiczeń II, III i IV proszę wpisać rzeczowniki w mianowniku liczby mnogiej w odpowiednie miejsce w tabeli. W nawiasie proszę napisać mianownik liczby pojedynczej.

-owie	-i	-y	-e
synowie (syn)	studenci (student)	Anglicy (Anglik)	kucharze (kucharz)
inżynierowie	architekci	informatycy	nauczyciele
królowie	policjanci	sportowcy	dziennikarze
sędziowie	Czesi	kierowcy	stolarze
profesorowie	Litwini	Brytyjczycy	marynarze
Belgowie	Włosi	Francuzi	lekarze
Finowie	kuzyni	Kanadyjczycy	Rosjanie
wujkowie		Niemcy	Amerykanie
szwagrowie			
bratankowie			
teściowie			

UWAGA! WYJĄTEK! _bracia_

X. Proszę ułożyć pytania do podkreślonych słów.

PRZYKŁAD:

W szpitalu pracują <u>lekarze</u>. **Kto pracuje w szpitalu?**

1. W tej sztuce występują <u>młodzi</u> aktorzy. *Jacy aktorzy występują w tej sztuce* ?
2. <u>Moi</u> bracia są bardzo wysocy. *Czyi bracia są bardzo wysocy* ?
3. Pracownicy w tej firmie są <u>uczciwi.</u> *Jacy są pracownicy w tej firmie* ?
4. <u>Jego</u> rodzice wyjechali za granicę. *Czyi rodzice wyjechali za granicę* ?
5. Na statku pracują <u>marynarze.</u> *Kto pracuje na statku* ?
6. W tym hotelu mieszkają <u>obcokrajowcy.</u> *Kto mieszka w tym hotelu* ?
7. <u>Wasi</u> kuzyni bardzo mi pomogli. *Czyi kuzyni ci pomogli* ?
8. W tej szkole uczą <u>surowi</u> nauczyciele. *Jacy nauczyciele uczą w tej szkole* ?
9. <u>Najlepsi</u> studenci dostali stypendium. *Jacy studenci dostali stypendium* ?
10. <u>Ich</u> teściowie przeprowadzili się do Australii. *Czyi teściowie przeprowadzili się do Australii* ?

I.8. Uwielbiam lody
Mianownik i biernik liczby mnogiej rodzaju niemęskoosobowego

I. Proszę utworzyć mianownik liczby mnogiej od podanych rzeczowników.

0. kot — **koty**
1. mapa — mapy
2. jabłko — **jabłka**
3. samochód — samochody
4. pies — psy
5. droga — drogi
6. bułka — **bułki**
7. róg — rogi
8. stół — stoły
9. okno — okna
10. kuchnia — kuchnie
11. danie — dania
12. koń — konie
13. babcia — babcie
14. tramwaj — tramwaje
15. muzeum — muzea
16. miasto — miasta
17. fotel — fotele
18. pani — panie
19. siostra — siostry
20. kawa — kawy

II. Formy liczby mnogiej z ćwiczenia I proszę wpisać do tabeli w odpowiednie miejsca i zaznaczyć kolorem końcówkę.

Mianownik i biernik liczby mnogiej rzeczowników		
rodzaj męski nieosobowy	rodzaj żeński	rodzaj nijaki
-y **koty** samochody psy stoły	-y mapy siostry kawy	-a **jabłka** okna dania muzea miasta
-i rogi	-i **bułki** drogi	
-e tramwaje fotele	-e kuchnie panie ←konie babcie	

III. Proszę wybrać z ramki przymiotnik i napisać go w odpowiedniej formie przy rzeczowniku.

> graceful, skilful

groźny, niewygodny, czysty, zgrabny, kolorowy, słodki, interesujący, wysoki, grzeczny, wąski, czerwony, szybki, kompetentny

> narrow

0. **groźne** psy
1. ....zgrabne............... dziewczyny
2. ....interesujące............... filmy
3. ....czerwone............... jabłka
4. ....szybkie............... samochody
5. ....wysokie............... góry
6. ....czyste............... morza
7. ....niewygodne............... buty
8. ....słodkie............... ciastka
9. ....kompetentne............... nauczycielki
10. ....wąskie............... drogi
11. ....kolorowe............... dywany
12. ....grzeczne............... dzieci

IV. Formy liczby mnogiej z ćwiczenia III proszę wpisać do tabeli w odpowiednie miejsca.

Mianownik i biernik liczby mnogiej przymiotników		
rodzaj męski nieosobowy	rodzaj żeński	rodzaj nijaki
-e **groźne** interesujące szybkie niewygodne kolorowe	-e zgrabne wysokie kompetentne wąskie	-e czerwone czyste słodkie grzeczne

V. Proszę uzupełnić zdania.

PRZYKŁAD:
To jest ciekawy film.
To są ciekawe filmy.
Znam **ciekawe filmy.**

1. To jest rasowy pies.
   To są rasowe psy
   Pan Cichoński ma rasowe psy

2. To jest zabytkowy kościół.
   To są zabytkowe kościoły
   Zwiedzamy zabytkowe kościoły

3. To jest szybki tramwaj.
   To są szybkie tramwaje
   Ludzie czekają na szybkie tramwaje

4. To jest smaczny placek.
   To są smaczne placki
   Jem smaczne placki

5. To jest egzotyczny ptak.
   To są egzotyczne ptaki
   Obserwujemy egzotyczne ptaki

VI. Proszę uzupełnić podane zdania.

PRZYKŁAD:
To jest inteligentna studentka.
To są inteligentne studentki.
Znam **inteligentne studentki.**

1. To jest fascynująca książka.
   To są fascynujące książki
   Michał czyta *fascynujące książki*

2. To jest uprzejma pani.
   To są uprzejme panie
   Spotkaliśmy *uprzejme panie*

3. To jest smaczna zupa.
   To są smaczne zupy
   Małgosia gotuje *smaczne zupy*

4. To jest droga płyta.
   To są drogie płyty
   Oni kupili *drogie płyty*

5. To jest złota rybka.
   To są złote rybki
   Karmię *złote rybki*

VII. Proszę uzupełnić zdania.

PRZYKŁAD:
To jest soczyste jabłko.
To są soczyste jabłka.
Lubicie **soczyste jabłka**?

1. To jest stare biurko.
   To są stare biurka
   Oni mają *stare biurka*

2. To jest piękne zdjęcie.
   To są piękne zdjęcia
   Zbieramy *piękne zdjęcia*

3. To jest pachnące mydło.

To są pachnące mydła

Kupiłam _pachnące mydła_

4. To jest pyszne ciasto.

To są pyszne ciasta

Matylda upiekła _pyszne ciasta_

5. To jest gorzkie lekarstwo.

To są gorzkie lekarstwa

Zażywamy _gorzkie lekarstwa_

VIII. Proszę uzupełnić tekst poprawnymi formami w liczbie mnogiej.

Kasia pierwszy raz w życiu ma własne mieszkanie. Musi teraz kupić wszystkie meble i całe wyposażenie domu. Do większego pokoju kupiła więc (0) **fotele** (fotel), (1) _krzesła_ (krzesło), (2) _półki_ (półka) na (3) _książki_ (książka). Na ścianie powiesiła dwa (4) _ładne obrazy_ (ładny obraz) i trzy (5) _zdjęcia_ (zdjęcie) z podróży. Na półkach postawiła też trzy (6) _flakony_ (flakon), które dostała od babci. Na podłodze położyła dwa (7) _kolorowe dywaniki_ (kolorowy dywanik). W oknach powiesiła (8) _firanki_ (firanka) i (9) _zasłony_ (zasłona). Na stole położyła (10) _beżowe serwetki_ (beżowa serwetka).

IX. Proszę uzupełnić podany tekst poprawnymi formami w liczbie mnogiej.

Ogród był niezwykle piękny. W ogrodzie były (0) **wąskie ścieżki** (wąska ścieżka) zrobione z białego kamienia. W czterech rogach ogrodu stały (1) _zielone ławki_ (zielona ławka), a obok dużego drzewa stały dwie (2) _huśtawki_ (huśtawka). Na nich leżały (3) _miękkie poduszki_ (miękka poduszka). Na tarasie były dwa (4) _parasole_ (parasol), a pod nimi stały (5) _stoliki_ (stolik). Przy stolikach znajdowały się (6) _krzesła_ (krzesło). W ogrodzie rosły (7) _czerwone róże_ (czerwona róża) i (8) _żółte tulipany_ (żółty tulipan). W środku znajdowały się dwie (9) _fontanny_ (fontanna). Wszędzie były też (10) _stare drzewa_ (stare drzewo).

huśtawka – swing / seesaw

X. Proszę ułożyć pytania do podkreślonych wyrazów.

PRZYKŁAD:
To są <u>dojrzałe</u> truskawki. **Jakie to są truskawki?**
Lubię <u>dojrzałe</u> truskawki. **Jakie truskawki lubisz?**

To są <u>piękne</u> krajobrazy. _Jakie to są krajobrazy_ ?

Zwiedzam <u>zabytkowe</u> miasta. _Jakie miasta zwiedzasz_ ?

To są <u>kolorowe</u> czasopisma. _Jakie to są czasopisma_ ?

Kupują <u>sportowe</u> buty. _Jakie buty kupują_ ?

To są <u>niebezpieczne</u> drogi. _Jakie to są drogi_ ?

Dostałem <u>ciekawe</u> oferty. _Jakie oferty dostałeś_ ?

To są <u>interesujące</u> artykuły. _Jakie to są artykuły_ ?

Oglądam <u>zabawne</u> programy. _Jakie programy oglądasz_ ?

To są <u>pracowite</u> uczennice. _Jakie to są uczennice_ ?

Mam <u>małe</u> dzieci. _Jakie dzieci masz_ ?

I.9. Mam wspaniałych studentów
Dopełniacz liczby mnogiej i biernik liczby mnogiej rodzaju męskoosobowego

I. Podkreślone wyrazy proszę wpisać w odpowiednie miejsca w tabelkach. Proszę podkreślić kolorem końcówki.

Paweł i Maciek byli braćmi. Mama miała z nimi wielki kłopot, ponieważ niczego nie chcieli jeść ani pić. Nie używali też <u>widelców</u> i <u>noży</u>. Mama znała <u>różnych małych</u> <u>chłopców</u>, ale każdy z nich lubił jeść pewne potrawy. Natomiast Paweł i Maciek nie jedli <u>owoców</u> i <u>warzyw</u>, nie znosili <u>serów</u> i <u>wędlin</u>, nie cierpieli <u>jajek</u> i <u>morskich ryb</u>. Czasami jedli chleb, ale <u>bułek</u> nie brali do ust. Dziwne było też to, że nie jedli <u>tortów</u>, <u>wspaniałych ciastek</u>, <u>ciast</u> i <u>czekolad</u>. Nie było sensu, żeby mama gotowała zupy – nie jedli <u>zup</u>, nikt nie mógł przekonać ich do <u>naleśników</u>, <u>omletów</u> i <u>placków</u> <u>ziemniaczanych</u>. Nie pili <u>soków</u> ani <u>napojów</u> <u>owocowych</u>. Gdy rodzice Pawła i Maćka spotykali swoich <u>kolegów</u> i <u>przyjaciół</u>, z zazdrością patrzyli na ich <u>grzecznych</u> <u>synów</u>, którzy wszystko jedli. Ojciec Pawła i Maćka miał kilku <u>braci</u>, a bracia mieli dzieci, ale nikt nie miał takich <u>poważnych</u> <u>kłopotów</u> z dziećmi. Paweł i Maciek w ogóle się tym nie martwili. Mówili, że mają wielu <u>chudych</u>, ale <u>zdrowych</u> i <u>szczęśliwych</u> <u>kolegów</u>.

Mama nie zapraszała do domu <u>gości</u>, ponieważ nie wiedziała, jak zachowają się chłopcy. Chodziła też z nimi do <u>znanych lekarzy</u>. Oni jednak nie umieli im pomóc.

DOPEŁNIACZ LICZBY MNOGIEJ – rzeczownik		
rodzaj męski	rodzaj żeński	rodzaj nijaki
owoców	wędlin	warzyw

DOPEŁNIACZ LICZBY MNOGIEJ – przymiotnik		
rodzaj męski	rodzaj żeński	rodzaj nijaki
ziemniaczanych	morskich	wspaniałych

BIERNIK LICZBY MNOGIEJ rodzaj męskoosobowy	
rzeczownik	przymiotnik
chłopców	różnych

UWAGA! WYJĄTKI!
Proszę znaleźć **dwa** wyjątki w formach biernika liczby mnogiej rzeczowników rodzaju męskoosobowego.

1. .... ,   2 ....

Proszę napisać formę dopełniacza liczby mnogiej tych rzeczowników.

1. .... ,   2. ....

II. Proszę uzupełnić podane zdania.

PRZYKŁAD:
Znam tych wysokich studentów, ale **nie znam tamtych wysokich studentów**.
Lubię tych wymagających nauczycieli, ale nie lubię tamtych wymagających nauczycieli.

1. Spotykam tych wesołych chłopców, ale ....

2. ...., ale nie lubimy tamtych młodych lekarzy.

3. Widzę tych niegrzecznych chłopców, ale ....

4. ...., ale lekarz nie przyjmie tamtych chorych pacjentów.

5. Robert zna tych utalentowanych artystów, ale ....

6. ...., ale nie spotykam tamtych znanych aktorów.

7. Odwiedziłam tych sympatycznych przyjaciół, ale ....

8. ...., ale nie słyszymy tamtych głośnych sąsiadów.

9. Czytał tych amerykańskich pisarzy, ale ....

10. ...., ale nie przetłumaczyła tamtych rosyjskich poetów.

III. Wyrazy z ramki proszę napisać w formie dopełniacza liczby mnogiej.

A.

> **ziemniak**, cytryna, ogórek, truskawka, jabłko, malina, pomidor

Kilogram ziemniaków, ...

B.

> **parówka**, jajko, śliwka, ciastko, melon, kalafior, grzyb

10 parówek, ...

IV. Proszę przeczytać informacje w tabeli i napisać zdania, używając dopełniacza l. mnogiej.

Imię	Czego nie lubi jeść?
Paweł	cukierek, ciastko, morela
Alina	jajko, czekoladka, melon
Kacper	zupa, kotlet, jabłko
Wiktoria	ryba, ser, kalafior

Paweł nie lubi jeść **cukierków, ciastek i moreli.**

....

....

....

V. Proszę uzupełnić podany tekst poprawnymi formami w liczbie mnogiej.

PRZYKŁAD:
Od dawna nie widziałam **moich kuzynów** (mój kuzyn).

Kiedy wracamy do (1) .... (nasz dom), często spotykamy (2) ....,
.... (wysoki, uśmiechnięty chłopiec). Czasami wracają oni
z (3) .... (zakupy). Niosą dużo (4) .... (owoc) i (5) .... (warzywo),
kilka (6) .... (chleb) i kilkanaście (7) .... (bułka). Czasami spotykamy też

I. ODMIANA RZECZOWNIKA, PRZYMIOTNIKA I ZAIMKA OSOBOWEGO

(8) .... (sympatyczny starszy pan).

Nigdy nie widziałyśmy ich bez (9) .... (kapelusz) i (10) .... (parasol).

VI. Proszę napisać, co kupił Ryszard.

Oto lista zakupów Ryszarda:

  0. ziemniaki – kilogram

  1. cytryny – osiem

  2. truskawki – pół kilograma

  3. kostka masła – sześć

  4. litr mleka – pięć

  5. chleb – pięć

  6. bułki – piętnaście

  7. butelka soku – siedem

  8. paczka makaronu – osiem

  9. pomidory – dwa kilogramy

  10. ogórki – trzy kilogramy

Ryszard kupił:

kilogram ziemniaków, (1) .... , (2) .... ,

(3) .... , (4) .... , (5) ....

.... , (6 .... , (7) .... ,

(8) .... , (9) .... , (10) ....

.... ,,

VII. Proszę zmienić zdania według wzoru.

PRZYKŁAD:
Wysokie dziewczyny grają w koszykówkę (kilkanaście).
Kilkanaście wysokich dziewczyn gra w koszykówkę.

  1. Czarne koty śpią w ogrodzie (parę)

     ....

  2. Talerze leżą na stole (osiem)

     ....

3. Małe dzieci bawią się w parku (kilkanaście)

....

4. Złote rybki pływają w akwarium (kilka)

....

5. Sympatyczni studenci zdają egzamin (mało)

....

6. Kompetentni lekarze pracują w tej klinice (dużo)

....

7. Dojrzałe pomidory są w lodówce (sześć)

....

8. Zagraniczni turyści chodzą po Krakowie (dużo)

....

9. Zgrabne dziewczyny jeżdżą na rowerach (pięć)

....

10. Duże psy biegają po parku (siedem)

....

VIII. Proszę zmienić zdania według wzoru.

PRZYKŁAD:
Miłe dziewczyny pisały test (pięć).
Pięć miłych dziewczyn pisało test.

1. Mali chłopcy grali w piłkę (dużo)

....

2. Rude wiewiórki jadły orzechy (sześć)

....

3. Pieniądze leżały na stole (dużo)

....

4. Stare drzewa były w ogrodzie (kilka)

....

5. Drogie auta stały na parkingu (parę)

....

6. Cenne obrazy wisiały na ścianie (kilka)

....

7. Zdenerwowani pasażerowie czekali na pociąg (dużo)

....

8. Miłe dentystki przyjmowały pacjentów (pięć)

....

9. Wygodne fotele znajdowały się w pokoju (sześć)

....

10. Niespokojni kierowcy stali w korku (dużo)

....

IX. Proszę ułożyć pytania do podkreślonych wyrazów.

PRZYKŁAD:
Lubię <u>inteligentnych</u> uczniów. **Jakich uczniów lubisz?**

1. Spotykam <u>punktualnych</u> studentów. ....?
2. Uwielbiam <u>angielskich</u> pisarzy. ....?
3. Czekam na <u>sympatycznych</u> kolegów. ....?
4. Martwię się o <u>dobrych</u> przyjaciół. ....?
5. Mam <u>kompetentnych</u> pracowników. ....?

X. Proszę ułożyć pytania do podkreślonych wyrazów.

PRZYKŁAD:
Nie lubię <u>leniwych</u> uczniów. **Jakich uczniów nie lubisz?**

1. Nie lubię <u>zielonych</u> jabłek. ....?
2. Nie mam <u>wygodnych</u> butów. ....?
3. Nie czytałam ostatnio książek <u>podróżniczych</u>. ....?
4. Nie spotykam często <u>życzliwych</u> urzędników. ....?
5. Nie jem ciastek <u>kokosowych</u>. ....?
6. Nie lubię <u>zarozumiałych</u> dziewczyn. ....?

I.10. Ojej! Nic nie pamiętam
Ćwiczenia powtórzeniowe.
Rzeczownik i przymiotnik

I. Proszę odpowiedzieć na pytania.

PRZYKŁAD:

Dokąd jedziesz?

Francja

Jadę do Francji.

Dokąd jedzie Konrad?

Portugalia

Dokąd jadą studenci?

Sycylia

....

....

....

....

Dokąd jedziecie?

Chorwacja

....
....

Dokąd jadą Ula i Marta?

Włochy

....
....

Dokąd jedziesz?

Słowacja

....
....

Dokąd leci Paweł?

Hawaje

....
....

Dokąd lecą wasi znajomi?

Wyspy Kanaryjskie

....
....

Dokąd leci sąsiadka?

Kanada

....
....

Dokąd jadą dziadkowie?

Węgry

....
....

Dokąd jedziecie?

Ukraina

....
....

Dokąd jedzie twoja siostra?

Rosja

....
....

Dokąd jedzie twój kolega?

Czechy

....
....

Dokąd jedziecie?

Podhale

....
....

Dokąd jadą dzieci?

Mazury

....
....

Dokąd jadą rodzice?

Mazowsze

....

II.

A. Proszę podać nazwy krajów sąsiadujących z Polską.

Morze Bałtyckie

Polska

B. Proszę napisać, gdzie leżą kraje sąsiednie.

PRZYKŁAD:

Czechy leżą na południowy zachód od Polski.

....
....
....
....
....
....
....

III.

A. Proszę podpisać obiekty geograficzne na mapie Polski.

B. Proszę napisać, gdzie znajdują się poniższe obiekty geograficzne.

PRZYKŁAD:

Gdzie znajduje się Kraków? Kraków znajduje się **na południu Polski**.

1. Gdzie znajduje się Łódź?

   ....

2. Gdzie znajdują się Bieszczady?

   ....

3. Gdzie znajdują się Sudety?

   ....

4. Gdzie znajdują się Jeziora Mazurskie?

....

5. Gdzie znajduje się Puszcza Białowieska?

....

6. Gdzie znajduje się Bałtyk?

....

7. Gdzie znajduje się Poznań?

....

8. Gdzie znajdują się Tatry?

....

9. Gdzie znajduje się Lublin?

....

10. Skąd dokąd płynie Wisła?

....

IV. Proszę podkreślić poprawną formę.

Ta / to / ten dziewczynka ma na imię Beata. Beata ma (1) siostra / siostrę / siostrą. (2) Jego / twoja / jej siostra ma na imię Karolina. Karolina ma trzy (3) lata / lat / rok. Ona nie chodzi jeszcze do (4) szkoła / szkoły / szkołę, ale Beata jest już (5) uczennicą / uczennicę / uczennica. Beata bardzo lubi (6) szkołą / szkoła / szkołę. W domu siostry lubią oglądać (7) telewizję / telewizji / telewizja. Lubią też słuchać (8) muzykę / muzyką / muzyki. W (9) poniedziałek / poniedziałku / poniedziałkiem Beata gra w (10) tenis / tenisem / tenisa. Karolina lubi pływać. Dwa razy w tygodniu chodzi na (11) basen / basenu / basenem. Mama dziewczynek jest (12) architekt / architekta / architektem, a tata jest (13) ekonomista / ekonomistą / ekonomisty. Oni mają też (14) duży pies / dużym psem / dużego psa.

V. Proszę podpisać obrazki.

PRZYKŁAD:

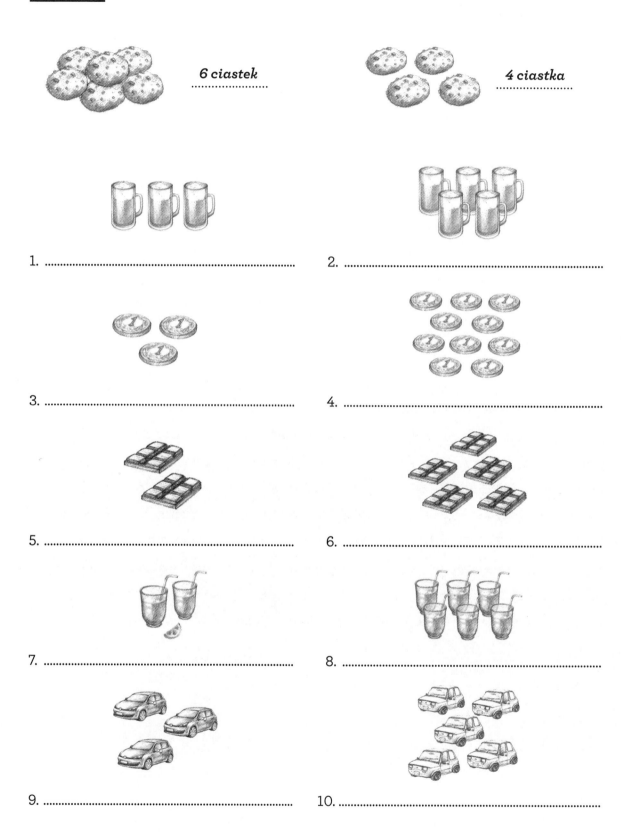

6 ciastek
....

4 ciastka
....

1. ....

2. ....

3. ....

4. ....

5. ....

6. ....

7. ....

8. ....

9. ....

10. ....

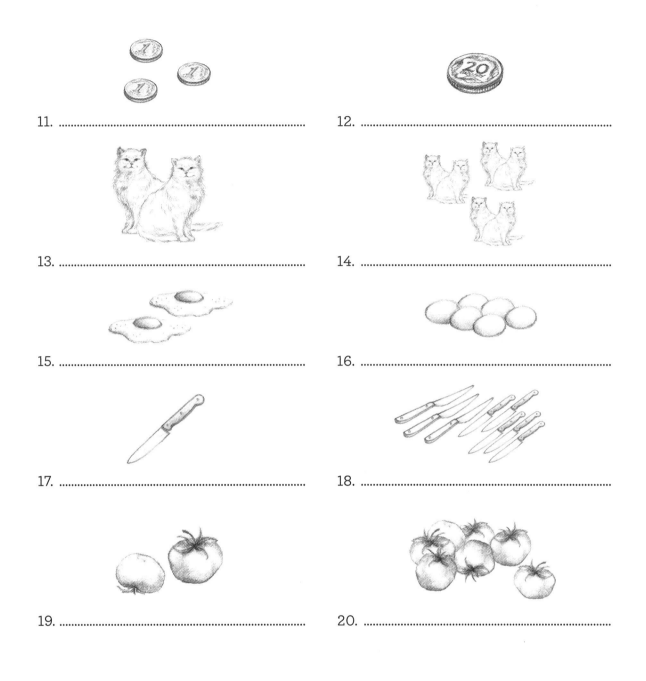

11. ....

12. ....

13. ....

14. ....

15. ....

16. ....

17. ....

18. ....

19. ....

20. ....

VI. Proszę wstawić odpowiednie formy rzeczowników.

PRZYKŁAD:
Zosia kupiła pięć **ciastek** (ciastko).

Salon był wspaniale umeblowany. Po prawej stronie były trzy duże (1)........................ (okno).
Po lewej pięć mniejszych (2)........................ (okno). Na środku stał olbrzymi stół, a wokół niego
dwanaście (3).......................... (krzesło). Naprzeciw drzwi wisiało sześć (4)........................ (obraz).
Na kredensie stało osiem małych (5).. (filiżanka). W dużym koszu leżało
siedem żółtych (6).................................. (cytryna). Pod oknem stały dwa (7)............................ (fotel),
a na nich leżało pięć (8).................................. (poduszka). Na małym stoliku znajdowały się cztery

(9) .... (butelka) z wodą. Na ścianie wisiało dziewięć starych, zabytkowych

(10) .... (zegar).

VII. Proszę uzupełnić tekst poprawnymi formami dopełniacza liczby pojedynczej lub mnogiej.

Magda musiała zrobić duże zakupy. W domu miała mało (0) **chleba** (chleb), trochę (1) ....

(masło) i 5 (2) .... (ogórek). Nie miała też (3) .... (mydło) ani

(4) .... (pasta) do zębów. Najpierw poszła do (5) ....

.... (sklep spożywczy). Kupiła tam kostkę (6) .... (masło), bochenek

(7) .... (chleb) i 6 (8) .... (bułka). Po chwili kupiła jeszcze 20 deka

(9) .... (szynki) i 30 deka (10) .... (ser). Następnie poszła do drogerii

i tam kupiła aż 5 (11) .... (mydło).

VIII. Proszę uzupełnić rozmowy telefoniczne.

PRZYKŁAD:
Czy mogę rozmawiać z **Tomkiem**? (Tomek).
Niestety, nie ma **Tomka** (Tomek).

1. Czy mogę rozmawiać z

.... (Anka)?

.... (pan dyrektor)?

.... (babcia)?

.... (Marek)?

Niestety nie ma

.... (Anka).

.... (pan dyrektor).

.... (babcia).

.... (Marek).

2. Czy mogę rozmawiać z

.... (Teresa)?

.... (Sebastian)?

.... (mama)?
.... (dziadek)?

Niestety nie ma

.... (Teresa).
.... (Sebastian).
.... (mama).
.... (dziadek).

3. Czy mogę rozmawiać z

.... (Igor)?
.... (Maria)?
.... (ciocia)?
.... (wujek)?

Niestety nie ma

.... (Igor).
.... (Maria).
.... (ciocia).
.... (wujek).

4. Czy mogę rozmawiać z

.... (Ewa)?
.... (Karolina)?
.... (pan Nowak)?
.... (pan Nowicki)?

Niestety nie ma

.... (Ewa).
.... (Karolina).
.... (pan Nowak).
.... (pan Nowicki).

5. Czy mogę rozmawiać z

.... (Tosia)?

.... (pan doktor)?

.... (pani Kowalska)?

.... (Michał)?

Niestety nie ma

.... (Tosia).

.... (pan doktor).

.... (pani Kowalska).

.... (Michał).

6. Czy mogę rozmawiać z

.... (Michalina)?

.... (Sara)?

.... (pani Nowak)?

.... (pani doktor)?

Niestety nie ma

.... (Michalina).

.... (Sara).

.... (pani Nowak).

.... (pani doktor).

IX. Proszę napisać, co te osoby lubią jeść i pić, a czego nie lubią jeść i pić.

Imię	Lubi jeść	Nie lubi jeść	Lubi pić	Nie lubi pić
Samuel				
Zosia				

I. ODMIANA RZECZOWNIKA, PRZYMIOTNIKA I ZAIMKA OSOBOWEGO

PRZYKŁAD:

Samuel lubi jeść ser i kiełbasę, ale nie lubi jeść pierogów i makaronu, lubi pić kawę, ale nie lubi pić wina.

Zosia ....

....

Romek ....

....

Alicja ....

....

Wojtek ....

....

Kasia ....

....

X. Proszę uzupełnić tekst odpowiednią formą słowa: przyjaciel.

PRZYKŁAD:
Mam jednego wspaniałego **przyjaciela.**

Mój (1) .... ma na imię Franek. Mojemu (2) .... zawsze mogę
wierzyć i ufać. Gdy jestem sam, brakuje mi (3) .... Często piszę e-maile
do (4) .... Codziennie rozmawiam z (5) ....
i o (6) .... często myślę.

XI. Następujący tekst proszę uzupełnić odpowiednią formą słowa: przyjaciele.

PRZYKŁAD:
Moi **przyjaciele** mieszkają blisko mnie.

Moich (1) .... poznałem dawno temu, gdy byłem jeszcze w szkole. Moi
(2) .... są wierni i oddani i zawsze mogę liczyć na (3) ....
Gdy wyjeżdżają, brakuje mi (4) .... i bardzo za (5) .... tęsknię.
O (6) .... zawsze pamiętam. Oczywiście moim (7) .... ufam
i mówię o wszystkich problemach.

XII. Proszę uzupełnić tekst odpowiednią formą słowa: przyjaciółka.

PRZYKŁAD:
Moja **przyjaciółka** ma na imię Alicja.

Z moją (1) .... rozmawiam na każdy temat. Do (2) ....
dzwonię codziennie wieczorem. Mojej (3) .... ufam całkowicie. Zawsze
mogę liczyć na moją (4) .... Przy mojej (5) .... czuję
się bezpiecznie. Alicja jest idealną (6) ....

XIII. Proszę uzupełnić tekst odpowiednią formą słowa: przyjaciółki.

PRZYKŁAD:
Bardzo lubię moje **przyjaciółki.**

Moje (1) .... mają na imię Dominika i Agnieszka. Te dziewczyny są moimi
prawdziwymi (2) .... Często dzwonię do moich (3) ....

Z (4) .... zawsze bawię się wspaniale. O (5) .... codziennie

myślę. Podziwiam moje (6) ...., bo są mądrymi dziewczynami.

XIV. Następujący tekst proszę uzupełnić odpowiednią formą słowa: miasto.

PRZYKŁAD:

Zawsze chciałam mieszkać w **mieście**.

Bardzo lubię moje (1) .... W (2) .... czuję się świetnie. Gdy jestem na

wsi, tęsknię za (3) .... Brakuje mi atmosfery (4) .... Lubię chodzić

po (5) .... i oglądać różne sklepy, a także zwiedzać muzea. Lubię też wyjść na wieżę

kościoła i przyglądać się (6) .... Wtedy myślę, że moje (7) .... jest piękne.

XV. Podany tekst proszę uzupełnić odpowiednią formą słowa: wieś.

PRZYKŁAD:

Zawsze chciałam mieszkać na **wsi**.

Bardzo lubię jeździć na (1) .... Na (2) .... mieszkają moja babcia i mój dzia-

dek. (3) .... to takie miejsce, gdzie czuję się najlepiej. Myślę, że w przyszłości zbu-

duję dom na (4) .... Wiem, że wielu ludzi nie lubi (5) .... Kiedy przyjeżdżam

do dziadków, siadam pod lasem, przyglądam się (6) .... i myślę, że na (7) ....

jest bardzo pięknie i spokojnie.

XVI. Proszę uzupełnić tekst odpowiednią formą słowa: cudzoziemiec.

PRZYKŁAD:

Moja koleżanka wyszła za mąż za **cudzoziemca**.

Moja siostra rok temu poznała pewnego uroczego (1) .... Oczywiście bardzo

szybko zakochała się w tym (2) .... Mówiła, że bez tego (3) ....

nie może żyć. (4) .... jednak nie był tak zakochany w mojej siostrze. Mary-

sia chciała oczywiście wziąć ślub z (5) .... i z nim zamieszkać. Powiedziała

(6) ...., że tylko jego kocha i nie chce nikogo innego. Niestety, pewnego

razu (7) .... zniknął bez śladu i nikt go już więcej nie widział.

XVII. Proszę utworzyć przymiotniki od rzeczowników podanych w nawiasach.

PRZYKŁAD:
sok (pomarańcza) – sok **pomarańczowy**

1. zupa (pomidor) – ....
2. sok (jabłko) – ....
3. (deszcz) dzień – ....
4. (kolor) dywan – ....
5. (tęcza) sukienka – ....
6. krzesło (obrót) – ....
7. (metal) półki – ....
8. (plastik) talerz – ....
9. (porcelana) filiżanka – ....
10. (papier) torba – ....

XVIII. Proszę zdecydować, czy podany przymiotnik powinien być przed rzeczownikiem, czy po nim.

PRZYKŁAD:
.... sok **pomarańczowy**

1. Nocna   – .... lampka   ....
2. Ciekawy   – .... film   ....
3. Pospieszny – .... pociąg   ....
4. Biograficzna – .... książka   ....
5. Interesująca – .... dziewczyna ....
6. Zabytkowy – .... kościół   ....

XIX. Podany tekst proszę uzupełnić odpowiednimi formami rzeczowników i przymiotników.

PRZYKŁAD:
Ona mieszka w **mieście** (miasto) .

W (1) .... (mała wieś) daleko od (2) .... (wielkie

miasto – l.mn.) żyła mądra, ale bardzo biedna dziewczyna. Marzyła o (3) .... (nauka)

na (4) .... (sławny uniwersytet) w (5) .... (kraj) lub za

(6) .... (granica). W (7) .... (każda wolna chwila)

od (8) .... (zajęcie – l.mn.) w (9) .... (gospodarstwo) czytała i robiła notatki z (10) .... (artykuł – l.mn.). Na szczęście szkoła zwró-

ciła uwagę na jej talent. Dostała (11) .... (nagroda) i stypendium na studia na

(12) .... (uniwersytet) .

XX. Proszę uzupełnić tekst odpowiednimi formami rzeczowników i przymiotników.

PRZYKŁAD:
Pod **okrągłym stołem** (okrągły stół) spał pies.

Marcin wszedł do (1) .... (ciemny pokój). Na (2) .... (ściana)

wisiały (3) .... (stary obraz – l.mn.). Przy (4) .... (okno) stało

czarne biurko. Na nim leżała czerwona książka, a na niej stało (5) ....

(białe pudełko). Marcin podszedł do (6) .... (biurko) i otworzył (7) ....

(pudełko). Wtedy zaskoczony zobaczył, że w (8) .... (pudełko) jest piękna kolia

z (9) .... (diament – l.mn.). Marcin nie wiedział, co powinien zrobić, gdy nagle ktoś

otworzył cicho (10) .... (drzwi). Stał w nich wysoki mężczyzna w (11) ....

.... (purpurowy płaszcz). W ręce trzymał pięć (12) .... (żółta

róża). Na (13) .... (głowa) miał czarny kapelusz z (14) ....

.... (purpurowa wstążka) .

XXI. Następujący tekst proszę uzupełnić odpowiednimi formami rzeczowników, przy-
     miotników i zaimków.

PRZYKŁAD:
Zawsze rano piję **herbatę** (herbata) .

W czasie (1) .... (wakacje) lubię wyjeżdżać nad (2) .... (morze) lub

w (3) .... (góra – l.mn.) lub za (4) .... (granica). Przepadam za (5) ....

.... (daleka podróż – l.mn.) do (6) .... (ciepły

kraj – l.mn.). Oprócz (7) .... (podróż – l.mn.) lubię też czasami zostać w domu

i posłuchać muzyki. Wtedy bez względu na (8) .... (pogoda) leżę w łóżku do

(9) .... (południe). Potem zwykle zajmuję się (10) ....

(moje zwierzę – l.mn.). Mam duże akwarium z rybkami i trzy żółwie. Następnie podlewam

(11) .... (mój kwiat doniczkowy – l.mn.), których mam bardzo

dużo. Kiedy wyjeżdżam, umawiam się z koleżanką, że w zamian za opiekę nad moimi rośli-

nami i zwierzętami ja będę opiekować się (12) .... (kot) podczas jej nieobecności.

XXII. Proszę ułożyć pytania do podkreślonych słów.

PRZYKŁAD:
Piotr marzy o <u>wakacjach</u>. **O czym** marzy Piotr?

1. Matylda jest <u>dentystką</u>.

   ....?

2. Monika i Paweł idą <u>do kina</u>.

   ....?

3. To jest samochód <u>pana Jana</u>.

   ....?

4. Ryszard nie lubi <u>wina</u>.

   ....?

5. Michał kocha <u>Helenę</u>.

   ....?

6. Marek opowiada o <u>swoich przygodach</u>.

   ....?

7. Beata myśli o <u>Andrzeju</u>.

   ....?

8. Nie lubię <u>słodkich</u> ciastek.

   ....?

9. <u>Dobre</u> studentki są w czwartej grupie.

   ....?

10. Czekaliśmy na <u>niego</u> długo.

   ....?

II

NIE LUBIĘ GO, A ON NIE LUBI MNIE
ZAIMEK

I. Proszę wybrać poprawną formę.

PRZYKŁAD:
Nie lubię ty / **cię** / tobie.

1. Czekamy na wam / wy / was.
2. Spotkają się z nami / my / nam.
3. Pożyczam to wam / was / wami.
4. Napisz do ja / mi / mnie.
5. Oni rozmawiają o ty / tobie / ci.
6. Widzę go / jego / niego.
7. Spędziłaś wakacje u nich / ich / im?
8. Nie idę bez jej / niej / ona!
9. Zapłacę za ciebie / ty / ci.
10. Dałam ona / jej / niej prezent.

II. Proszę wybrać poprawną formę.

PRZYKŁAD:
Nie lubię **go** / jego / niego.

1. Lubimy ją / jej / niej.
2. Czekamy na wami / was / wy.
3. Chcecie iść z my / nami / nas do kina?
4. Czy możesz iść z(e) ja / mnie / mną do teatru?
5. Lubimy ich / oni / nich.
6. Chcemy z ty / tobą / ciebie pracować.
7. Znasz je / nimi / one?
8. Jedziemy z oni / nimi / nich na wakacje.
9. Michał cię / ty / tobą kocha.
10. To jest prezent dla on / niego / go.

III. Proszę wybrać odpowiedni zaimek.

PRZYKŁAD:
Lubię **swój** / mój pokój.

1. Kinga ciągle się kłóci z(e) jej / swoim bratem.
2. Oni nadal mieszkają z(e) swoimi / ich rodzicami.
3. Jej / swoja mama jest lekarką.
4. Nie lubię brata Ali. Zawsze dyskutuję z(e) jej / swoim bratem i nigdy się nie zgadzamy.
5. Jego / swój samochód jest nowy.
6. Karol kocha jego / swoją żonę.
7. Nie mogę dzisiaj odebrać dziecka ze szkoły. Proszę cię, odbierz moją / swoją córkę ze szkoły.
8. Nie mogę znaleźć pióra. Czy widziałaś swoje / moje pióro?
9. Zabierz swoje / twoje książki. Nie mam tu miejsca.
10. Mamy dużego psa. Patryk boi się swojego / naszego psa.
11. Swoi / ich rodzice wyjechali za granicę.
12. Dziecinny pokój był bardzo ładnie urządzony. Mała Kasia lubiła spać w swoim / jej pokoju.

IV. Proszę uzupełnić tekst zaimkami osobowymi w odpowiedniej formie.

Dziewczyna Tomka miała na imię Zuzanna i była bardzo piękna. Tomek myślał o (0) **niej** (ona) cały czas. Niestety Zuzanna nie myślała o (1) .... (on). Zuzannie podobał się Robert. Kochała się w (2) .... (on) od pewnego czasu. Robert natomiast był zachwycony Anetą i Dominiką. Chodził za (3) .... (one) wszędzie. One udawały, że (4) .... nie widzą.

Proszę, zadzwoń do (5) .... (ja) – mówił Tomek do Zuzanny. – Nie mogę bez (6) .... (ty) żyć. – Daj (7) .... (ja) spokój! Mam (8) .... (ty) dość – odpowiadała Zuzanna.

Proszę (9) .... (wy), chodźcie ze (10) .... (ja) do kina – mówił Robert do Anety i Dominiki. – Daj (11) .... (my) spokój, wracaj do domu. Potrzebny (12) .... (my) jest inny chłopak, przystojny i inteligentny – mówiły dziewczyny.

V. Proszę uzupełnić zdania zaimkami osobowymi w odpowiedniej formie.

Muszę (0) **go** zapytać (on). On musi powiedzieć (1) .... (ja) prawdę. Ciekawa jestem, kim była ta dziewczyna, która z (2) .... (on) szła. Na szczęście nie widzieli (3) .... (ja). Szłam za (4) .... (oni) przez chwilę. Potem spotkałam (5) .... (ty) i zaczęłyśmy rozmawiać o (6) ....

(oni). Wieczorem dzwoniłam do (7) .... (ty), ale powiedziałaś, żebym porozmawiała (8)

z .... (on). Dzwoniłam też do moich sióstr i powiedziałam (9) .... (one) o wszystkim. One też

(10) .... (ja) nie pomogły.

VI. Proszę wpisać właściwe formy zaimków zgodnie z przykładami.

A	B
(0) nasi bracia	**nasze** dzieci
(0) **wasi** rodzice	wasze książki
1. moi synowie	_moje_ córki
2. jego kuzyni	_jego_ psy
3. _twoi_ przyjaciele	twoje przyjaciółki
4. _moi_ nauczyciele	moje nauczycielki
5. nasi sąsiedzi	_nasze_ sąsiadki
6. _wasi_ pracownicy	wasze projekty
7. _twoi_ koledzy	twoje koleżanki
8. jej dziadkowie	_jej_ babcie
9. twoi znajomi	_twoje_ pomysły
10. _ich_ pacjenci	ich pacjentki

VII. Proszę utworzyć zaimek dzierżawczy i uzupełnić zdania poprawną formą.

PRZYKŁAD:
Przedstawiam ci **mojego** brata. (ja)

1. Lubię .... córkę. (oni)

2. Napisaliśmy do .... nauczycielki. (my)

3. Idę do kina z .... kuzynem. (ty)

4. .... dom jest naprawdę piękny. (wy)

5. Pojechaliśmy .... samochodem. (ona)

6. Zostawiłam książkę w .... domu. (wy)

7. Pożyczyłam płytę .... przyjacielowi. (one)

8. Długo rozmawialiśmy o .... sytuacji. (ty)

9. Czy mógłbyś pomóc .... siostrze? (ja)

10. Obok .... domu jest sklep. (my)

VIII. Proszę utworzyć zaimek dzierżawczy i uzupełnić zdania poprawną formą.

PRZYKŁAD:

Ufamy **naszym** przyjaciołom. (my)

1. Nie lubisz .... sióstr? (ja)

2. Jedziemy na wakacje z .... dziećmi. (my)

3. .... dziadkowie mieszkają na wsi. (ja)

4. Rozmawialiśmy o .... planach. (wy)

5. .... rodzice są bardzo życzliwi. (on)

6. Cieszę się, że jedziemy do .... przyjaciół. (ty)

7. Bardzo lubię jeździć z .... kuzynami nad morze. (ja)

8. Pożyczyliśmy pieniądze .... koleżankom. (my)

9. Mam ochotę namalować .... dzieci. (wy)

10. .... bracia są bardzo wysocy. (my)

IX. Proszę ułożyć pytania do podkreślonych wyrazów.

PRZYKŁAD:

Lubię twojego brata. **Czyjego** brata lubisz?

1. Nie lubię waszej kuzynki. ....?

2. Nie widziałam ich domu. ....?

3. Poszłam do kina z twoim kolegą. ....?

4. Myślę o naszym urlopie. ....?

5. Czekam na jej siostrę. ....?

6. Martwię się o moją przyjaciółkę. ....?

7. Paweł zakochał się w twojej siostrze. ....?

8. To jest nasze dziecko. ....?

9. Postawiłem to na twoim biurku. ....?

10. Przyglądam się waszemu psu. ....?

X. Proszę ułożyć pytania do podkreślonych wyrazów.

PRZYKŁAD:
To są nasze córki. **Czyje** to są córki?

1. Byliśmy na dyskotece z <u>naszymi</u> przyjaciółmi. ....?
2. To są <u>nasi</u> synowie. ....?
3. U <u>moich</u> dziadków jest bardzo miło. ....?
4. Pożyczyliśmy samochód <u>waszym</u> kolegom. ....?
5. Oni nie lubią <u>naszych</u> psów. ....?
6. Mamy <u>wasze</u> książki. ....?
7. <u>Jego</u> pracownicy są bardzo punktualni. ....?
8. Zabrałam <u>jej</u> dzieci ze szkoły. ....?
9. <u>Ich</u> płyty są bardzo cenne. ....?
10. <u>Twoi</u> nauczyciele byli bardzo mili. ....?

XI. Proszę ułożyć pytania do podkreślonych wyrazów.

PRZYKŁAD:
Dałem to <u>Bartkowi</u>. **Komu to dałeś?**

1. Przyjechaliśmy <u>tramwajem</u>. ....?
2. Oni są <u>aktorami</u>. ....?
3. Wracam od <u>przyjaciółki</u>. ....?
4. Nie piję kawy bez <u>mleka</u>. ....?
5. Zosia opiekuje się <u>dziećmi</u>. ....?
6. Dziadkowie martwią się o <u>wnuka</u>. ....?
7. Szukam <u>zeszytów</u>. ....?
8. Studenci marzą o <u>wakacjach</u>. ....?
9. Krzysiek sprząta <u>pokój</u>. ....?
10. Przyglądamy się <u>zdjęciom</u>. ....?

III

SPOTKAMY SIĘ DRUGIEGO O DRUGIEJ
LICZEBNIK

I. Proszę uzupełnić tabelkę.

	Ile?	Rząd	Godzina	Miejsce
13	trzynaście	trzynasty	trzynasta	trzynaste
5				
10				
8				
15				
7				
4				
3				
1				
2				
17				
14				
19				
20				

II. Proszę uzupełnić tekst. Godziny proszę napisać słowami w wersji nieoficjalnej.

Ala wstaje o szóstej. Piętnaście minut później je śniadanie, jest (0) **piętnaście po szóstej.**

Dwadzieścia minut później myje się, jest (1) ....

Piętnaście minut później ubiera się, jest (2) ....

Dziesięć minut później wychodzi z domu, jest (3) ....

Dziesięć minut idzie na przystanek, kiedy jest na przystanku, jest (4) ....

.... Za pięć minut przyjeżdża tramwaj, Ala wsiada do tramwaju, jest

(5) .... Ala pół godziny jedzie tramwajem, więc kiedy

wysiada, jest (6) .... Do szkoły Ala idzie dziesięć

minut, Ala wchodzi do szkoły, gdy na zegarze jest (7) .... Lekcje zaczynają się

pięć minut później, czyli o (8) .... Sześć i pół godziny

Ala spędza w szkole, a więc wychodzi ze szkoły o (9) ....

Idzie na przystanek, czeka na tramwaj i pół godziny później wsiada do tramwaju, czyli

o (10) .... Znowu pół godziny jedzie tramwajem

i dziesięć minut idzie z przystanku do domu, więc jest (11) ....,

gdy przychodzi do domu. Dwadzieścia minut później je obiad, więc jest (12) ....

....

III. Na podstawie ćwiczenia II proszę uzupełnić tabelkę. Proszę wpisać godzinę i napisać,
co Ala robi o tej godzinie.

Godzina	Co Ala robi?
6.00	Ala wstaje.
6.15	Ala je śniadanie.

III. *SPOTKAMY SIĘ DRUGIEGO O DRUGIEJ.* LICZEBNIK

IV. Proszę dopisać do podanych rzeczowników liczebnik „jeden" w odpowiedniej formie.

PRZYKŁAD:
jedna dziewczynka

1. .... chłopiec
2. .... bułka
3. .... kierowca
4. .... noc
5. .... turysta
6. .... dziecko
7. .... pani
8. .... krzesło
9. .... dentysta
10. .... akwarium

V. Proszę dopisać liczebnik „dwa" lub „dwie" do podanych rzeczowników.

PRZYKŁAD:
dwie kawy, **dwa** drzewa

1. ....*dwie*........ siostry
2. ....*dwa*........ koty
3. ....*dwa*........ jabłka
4. ....*dwa*........ stoły
5. ....*dwie*........ książki
6. ....*dwie*........ herbaty
7. ....*dwa*........ okna
8. ....*dwa*........ samochody
9. ....*dwie*........ córki
10. ....*dwie*........ koperty – *envelope*

VI. Proszę uzupełnić zdania odpowiednimi formami czasowników.

A. W czasie teraźniejszym

PRZYKŁAD:
W moim ogródku **są** trzy róże. (być) W moim ogródku **jest** osiem róż.

1. Na talerzu ...... *leżą* ...... dwa pierogi. (leżeć)
   Na talerzu ...... *leży* ...... pięć pierogów.
2. Kilka osób ...... *czeka* ...... na tramwaj. (czekać)
   Trzy osoby ...... *czekają* ...... na tramwaj.
3. Dzisiaj w tej kawiarni ...... *pracują* ...... tylko dwie kelnerki. (pracować)
   Dzisiaj w tej kawiarni ...... *pracuje* ...... dziesięć kelnerek.
4. Na ścianie ...... *wiszą* ...... cztery obrazy. (wisieć)
5. Na ścianie ...... *wisi* ...... sześć obrazów.
6. Dwie dziewczynki ...... *bawią się* ...... w parku. (bawić się)
   Dużo dziewczynek ...... *bawi się* ...... w parku.

B. W czasie przeszłym

PRZYKŁAD:
W moim ogródku **były** trzy róże. (być) W moim ogródku **było** osiem róż.

1. Dwie studentki ...... *pisały* ...... test. (pisać)
   Dwanaście studentek ...... *pisało* ...... test.
2. Trzy psy ...... *biegały* ...... po parku. (biegać)
   Siedem psów ...... *biegało* ...... po parku.
3. Trzy książki ...... *stały* ...... na półce. (stać)
   Dwadzieścia książek ...... *stało* ...... na półce.
4. Cztery samochody ...... *jechały* ...... drogą. (jechać)
   Dwadzieścia pięć samochodów ...... *jechało* ...... drogą.
5. Dwie przyjaciółki ...... *przyszły* ...... do Aliny. (przyjść)
   Dziewięć przyjaciółek ...... *przyszło* ...... do Aliny.

C. W czasie przyszłym

PRZYKŁAD:
Dwie panie **będą pracować / pracowały** w sklepie.
Sześć pań **będzie pracować / pracowało** w sklepie.

1. Trzy fotele *będą się znajdować / znajdowały* w pokoju. (znajdować się)

   Osiem foteli *będzie się znajdować / znajdowało* w pokoju.

2. Dwie aktorki *będą występować / występowały* w przedstawieniu. (występować)

   Trzynaście aktorek *będzie występowało* w przedstawieniu.

3. Cztery rybki *będą pływały* w akwarium. (pływać)

   Szesnaście rybek *będzie pływało* w akwarium.

4. Dwie dentystki *będą przyjmowały* jutro pacjentów. (przyjmować)

   Siedem dentystek *będzie przyjmowało* jutro pacjentów.

5. Trzy koty *będą piły* mleko. (pić)

   Dziewięć kotów *będzie piło* mleko.

VII. Oto polscy nobliści. Proszę połączyć datę i dziedzinę z nazwiskami, a następnie napisać zdania według wzoru.

1980, 1983, 1905, 1903, 1996, 1924, 1911

Maria Skłodowska-Curie, **Czesław Miłosz**, Władysław Reymont, Wisława Szymborska, Lech Wałęsa, Henryk Sienkiewicz, Maria Skłodowska-Curie wraz z mężem Piotrem Curie

Pokojowa Nagroda Nobla, **Literacka Nagroda Nobla za całokształt twórczości**, Nagroda Nobla w dziedzinie fizyki, Literacka Nagroda Nobla za całokształt twórczości, Nagroda Nobla w dziedzinie chemii, Literacka Nagroda Nobla za powieść *Quo vadis*, Literacka Nagroda Nobla za powieść *Chłopi*

PRZYKŁAD:

Czesław Miłosz otrzymał Literacką Nagrodę Nobla za całokształt twórczości w tysiąc dziewięćset osiemdziesiątym roku.

1. ....

   ....

2. ....

   ....

3. ....

   ....

4. ....

5. ....

6. ....

VIII. Oto ważne wydarzenia z historii Polski. Proszę połączyć daty z wydarzeniem i napisać zdania według wzoru.

> 12 IX 1683, 1 V 2004, 1 IX 1939, 15 VII 1410, 13 XII 1981, 3 V 1791, 11 XI 1918, 4 VI 1989, 16 X 1978, 8 V 1945

> zakończenie II wojny światowej w Europie, bitwa pod Wiedniem, wybór Polaka na papieża, ogłoszenie stanu wojennego, pierwsze demokratyczne wybory do polskiego parlamentu, wstąpienie Polski do Unii Europejskiej, pierwsza polska konstytucja, odzyskanie niepodległości, bitwa pod Grunwaldem, wybuch II wojny światowej

PRZYKŁAD:
Bitwa pod Wiedniem – dwunastego września tysiąc sześćset osiemdziesiątego trzeciego roku.

1. zakończenie II wojny światowej w Europie – ósmego maja tysiąc dziewięćset czterdziestego piątego roku

2. wybór Polaka na papieża – szestnastego października tysiąc dziewięćset siedemdziesiątego ósmego roku

3. ogłoszenie stanu wojennego – trzynastego grudnia tysiąc osiemdziesiątego pierwszego roku

4. pierwsze demokratyczne ... – czwartego czerwca tysiąc dziewięćset osiemdziesiątego dziewiątego roku

5. wstąpienie Polski do Unii Europejskiej – pierwszego maja dwa tysiące czwartego roku

6. pierwsza polska konstytucja – trzeciego maja tysiąc siedemset dziewięćdziesiątego pierwszego roku

7. <u>Odzyskanie niepodległości</u> – jedenastego listopada tysiąc dziewięćset osiemnastego roku

8. <u>Bitwa pod Grunwaldem</u> – piętnastego lipca tysiąc czterysta dziesiątego roku

9. <u>Wybuch II wojny światowej</u> – pierwszego września tysiąc dziewięćset trzydziestego dziewiątego roku

IX. Podane liczby i daty proszę napisać słowami.

PRZYKŁAD:
Obszar Polski wynosi (312 679 km^2) trzysta dwanaście tysięcy sześćset siedemdziesiąt dziewięć kilometrów kwadratowych.

1. Obszar województwa małopolskiego wynosi 15 183 km^2.

   ....

2. W Polsce mieszka 38 111 000 osób.

   ....

3. Wisła ma 1047 km długości.

   ....

4. Najgłębsze polskie jezioro Hańcza ma 108 m głębokości.

   ....

5. Najwyższą polską budowlą jest Pałac Kultury i Nauki w Warszawie, który ma prawie 231 m.

   ....

6. Najwyższy szczyt w Polsce nazywa się Rysy, jest w Tatrach i ma 2499 m wysokości.

   ....

7. Najwyższa temperatura w Polsce była 29 VII 1921 r. i wynosiła ponad 40°C.

   ....

8. Najniższa temperatura w Polsce była 11 stycznia 1940 r. i wynosiła –41°C.

   ....

9. Najsłynniejszy polski dzwon znajduje się na Wawelu, nazywa się Zygmunt i waży prawie 13 t, jego serce waży 365 kg.

   ....

10. Najstarsze kino w Polsce znajduje się w Szczecinie, nazywa się Pionier, zostało otwarte w 1909 r., a więc w 2011 r. ma .... lat / lata.

   ....

X. Proszę przepisać następujący tekst i napisać daty z życia Adama Mickiewicza w poprawnej formie.

Adam Mickiewicz urodził się (0) 24 XII 1798 w Zaosiu lub Nowogródku. Był wielkim poetą okresu romantyzmu. (1) Od 1807 do 1815 r. chodził do szkoły w Nowogródku. (2) W 1815 r. wyjechał do Wilna na studia. (3) W 1819 r. skończył studia.

Do (4) 1823 r. mieszkał w Kownie, gdzie pracował jako nauczyciel. (5) Od 1824 do 1829 r. przebywał w Petersburgu, Odessie, Moskwie i na Krymie. (6) W 1829 r. wyjechał do Niemiec. (7) W 1832 r. przeprowadził się do Paryża. (8) W 1834 r. ożenił się z Celiną Szymanowską i miał sześcioro dzieci. (9) Od 1852 r. pracował w Bibliotece Arsenału w Paryżu. (10) W 1855 r. podczas wojny krymskiej wyjechał do Konstantynopola, gdzie zmarł w czasie epidemii cholery (11) 26 XI 1855. Został pochowany w Paryżu, a (12) w 1890 r. na Wawelu.

Adam Mickiewicz urodził się **dwudziestego czwartego grudnia tysiąc siedemset dziewięćdziesiątego ósmego roku** ....

....

....

....

....

....

....

....

....

....

....

....

....

....

....

....

....

....

....

....

IV

JESTEM NAJLEPSZY Z GRUPY
STOPNIOWANIE PRZYMIOTNIKA

I. Do podanych przymiotników proszę dopisać dwa pozostałe stopnie.

PRZYKŁAD:
wysoki – **wyższy** – **najwyższy**

1. niski   – .... – ....
2. gruby   – .... – ....
3. .... – chudszy – ....
4. .... – .... – najstarszy
5. młody   – .... – ....
6. mały   – mniejszy – ....
7. duży   – .... – największy
8. nowy   – .... – ....
9. dobry   – .... – najlepszy
10. zły   – gorszy – ....
11. długi   – .... – najdłuższy
12. drogi   – .... – ....

II
A. Proszę wybrać odpowiednie słowo z ramki i podpisać zwierzęta.

> żyrafa, jaszczurka, lew, gepard, wieloryb, koliber, kot, wilk, wąż, mrówka, żółw, krokodyl, pies, **słoń**

PRZYKŁAD:

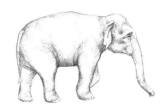

0. – *słoń*
....

1. ....

2. ....

3. ....

4. ....

5. ....

6. ....

7. ....

8. ....

9. ....

10. ....

11. ....

12. ....

13. ....

B. Proszę porównać zwierzęta i napisać prawidłowe zdania.

PRZYKŁAD:

0, 2 – duży

Słoń jest większy od lwa. Słoń jest większy niż lew.

1. 1, 2 – wysoki

....

2. 3, 4 – groźny

....

3. 4, 5 – wierny

....

4. 5, 6 – duży

....

5. 7, 8 – ciężki

....

6. 9, 10 – mały

....

7. 10, 11 – długi

....

8. 12, 13 – pracowity

....

9. 13, 8 – wolny

....

10. 11, 3 – szybki

....

C. Proszę napisać zdania opisujące zwierzęta z przymiotnikiem w stopniu najwyższym.

PRZYKŁAD:
0. duży, zwierzęta
Słoń jest największy ze wszystkich zwierząt.

1. 1, wysoki, zwierzęta

....

2. 2, groźny, zwierzęta

....

3. 4, wierny, zwierzęta

....

4. 7, ciężki, zwierzęta

....

5. 9, mały, ptaki

....

6. 11, szybki, zwierzęta

....

III. Proszę przekształcić podane zdania zgodnie z przykładem.

PRZYKŁAD:
Robert jest wysoki, Karol jest bardzo wysoki. **Karol jest wyższy niż Robert.**

1. Anka jest ładna, Basia jest bardzo ładna.
....

2. Jabłko jest dobre, pomarańcza jest bardzo dobra.
....

3. Ten dom jest duży, tamten dom jest bardzo duży.
....

4. Ten film jest zły, tamten film jest bardzo zły.
....

5. Zielona papuga jest mała, żółta papuga jest bardzo mała.
....

6. Pan Kowalski jest bogaty, pan Nowak jest bardzo bogaty.
....

7. Ta książka jest ciekawa, tamta książka jest bardzo ciekawa.
....

8. Pani Zosia jest stara, pani Marysia jest bardzo stara.
....

9. Restauracja na ulicy Grodzkiej jest droga, restauracja na ulicy Sławkowskiej jest bardzo droga.
....

10. Wtorek był zimny, środa była bardzo zimna.
....

IV. Proszę wybrać z ramki odpowiedni przymiotnik i utworzyć zdanie według wzoru.

> krótki, stary, szybki, niski, duży, wysoki, ciężki, popularny, **długi**

PRZYKŁAD:
Amazonka ma 7100 km, a Nil ma 6670 km.
Amazonka jest dłuższa niż Nil.

1. Pan Paweł ma 218 cm wzrostu, pan Piotr ma 210 cm wzrostu.
....

2. Jezioro Śniardwy ma 113,8 km^2, a jezioro Hańcza ma 108,5 km^2.

....

3. Pani Alicja ma 105 lat, pan Bogusław ma 103 lata.

....

4. Na Plutonie temperatura wynosi –230 stopni Celsjusza, a na Neptunie jest –200 stopni Celsjusza.

....

5. Gepard biega z szybkością 110 km/h, gazela biega z szybkością 75 km/h.

....

6. Słoń afrykański waży 6 ton, a słoń indyjski waży 5 ton.

....

7. Nazwisko „Nowak" nosi w Polsce 220 217 osób, a nazwisko „Kowalski" 131 940 osób.

....

8. Ulica Samborska w Warszawie ma tylko 24 m, a ulica Infelda w Sosnowcu ma 25 m.

....

V. Czy to wiesz? Sprawdź swoje wiadomości!
   Proszę uzupełnić zdania odpowiednim przymiotnikiem z ramki i użyć go w stopniu najwyższym i poprawnej formie gramatycznej.

niski (2x), duży (2x), ciepły, długi (2x), ciężki, bogaty,

PRZYKŁAD:
Najniższy punkt Holandii znajduje się 6,7 m poniżej poziomu morza.

1. .... planetą w Układzie Słonecznym jest Jowisz.
2. Dinozaur argentynozaur był .... zwierzęciem (100 ton), które żyło na lądzie.
3. Morze Czerwone jest .... morzem na Ziemi.
4. .... jeziorem na świecie jest Morze Kaspijskie.
5. .... nazwą miejscowości w Polsce jest Siemieniakowszczyzna (20 liter).
6. .... rzeką na świecie jest Amazonka (7100 km).
7. .... temperaturę na świecie zanotowano w 1983 roku na Antarktydzie: –89,2 stopni Celsjusza.
8. .... krajem na świecie jest Luksemburg (42 986 dolarów USA na głowę).

VI. Proszę uzupełnić podane zdania formami stopnia wyższego i najwyższego przymiotników w odpowiednim przypadku.

PRZYKŁAD:
Ten aktor jest przystojny, tamten jest **przystojniejszy**, ale mój chłopak jest **najprzystojniejszym** mężczyzną.

1. Jacek jest grzeczny, Zosia jest ...., ale Ania jest .... dzieckiem.

2. Ta torebka jest tania, ta z plastiku jest ...., ale ta z papieru jest
   ....

3. Jabłko jest słodkie, cukier jest ...., ale miód jest ....

4. Ta pani jest młoda, moja ciocia jest ...., ale mama jest ....

5. Maj jest ciepły, czerwiec jest ...., ale sierpień jest ....

6. Mój dom jest duży, dom Marty jest ...., ale dom Adriana jest ....
   ....

7. Ten zielony sweter jest drogi, granatowy sweter jest ...., ale tamten czerwony jest ....

8. Wisła jest długą rzeką, Nil jest .... rzeką, ale Amazonka jest ....
   .... rzeką.

9. Lody waniliowe są dobre, czekoladowe są ...., ale lody orzechowe są
   ....

10. Zadanie Kasi jest złe, zadanie Maćka jest ...., ale zadanie Brunona jest
    ....

VII. Proszę uzupełnić następujący tekst odpowiednimi formami przymiotników w stopniu wyższym.

Klementyna nie była szczęśliwą dziewczyną. Rodzice zawsze porównywali ją z rodzeństwem: siostrą Martyną i bratem Mikołajem. Przede wszystkim Martyna była (0) **wyższa** (wysoki) i (1) .... (szczupły). Martyna była także (2) .... (dobry) uczennicą, Klementyna zawsze miała (3) .... (zły) oceny. Natomiast Mikołaj był (4) .... (pracowity) i (5) .... (wysportowany) niż Klementyna. Obiady Martyny były (6) .... (smaczny). Mikołaj też pięknie rysował. Jego rysunki były zawsze (7) .... (ładny) niż rysunki Klementyny. Martyna była również (8) .... (miły) i (9) .... (uprzejmy).

Mikołaj natomiast był (10) .... (zdyscyplinowany) niż Klementyna. Jak można być w tej sytuacji miłą, uprzejmą, wesołą i pracowitą osobą?

VIII. Z podanych słów proszę utworzyć zdania według wzoru.

PRZYKŁAD:
Zuzanna, inteligentny, Grzesiek
Zuzanna jest bardziej inteligentna od Grześka.

1. Kasia, pracowity, Patryk

   ....

2. Moja książka, kolorowy, twoja książka

   ....

3. Ten film, interesujący, tamten film

   ....

4. Krzysiek, wysportowany, Andrzej

   ....

5. Monika, uprzejmy, Karolina

   ....

6. Marzec, deszczowy, kwiecień

   ....

7. Lipiec, słoneczny, wrzesień

   ....

8. Ten artysta, twórczy, tamten artysta

   ....

9. Kuba, pomysłowy, Adrian

   ....

10. Śledź, słony, łosoś

   ....

IX. Z podanych słów proszę utworzyć zdania według wzoru.

PRZYKŁAD:
To lekarstwo, gorzki, syrop
To lekarstwo jest mniej gorzkie niż syrop.

1. Kacper, posłuszny, jego brat

....

2. Te pomidory, dojrzały, tamte

....

3. Ten film, romantyczny, tamten

....

4. Październik, wietrzny, listopad

....

5. Dzisiejszy dzień, mglisty, wczorajszy

....

6. Gosia, energiczny, Basia

....

7. Ciocia Ala, samotny, kuzynka Marta

....

8. To krzesło, wygodny, tamten fotel

....

9. Antoś, ponury, jego kuzyn Bartek

....

10. Klara, rozmowny, jej siostra

....

X. Proszę uzupełnić zdania odpowiednim przymiotnikiem z ramki i użyć go w stopniu najwyższym i poprawnej formie gramatycznej.

> **interesujący, uprzejmy, znany, kolorowy, niebezpieczny, pracowity, samotny, gorzki, deszczowy, sentymentalny, słony**

PRZYKŁAD:
Najbardziej słonym morzem na świecie jest Morze Czerwone.

1. Zosia miała .... kostium na balu.

2. To lekarstwo jest .... ze wszystkich, które zażywałem.

3. .... dramatopisarzem jest William Shakespeare.

4. Dziś jest .... dzień, odkąd tu przyjechaliśmy. Pada i pada.

5. Piotrek to .... uczeń w klasie, ciągle się uczy.

6. To .... film, jaki kiedykolwiek widzieliśmy, wszyscy na sali płakali.

7. Sądzę, że strażak to .... zawód.

8. Trzeba jej pomóc. Ona jest .... z nas wszystkich.

9. Pani Krysia jest .... bibliotekarką.

10. Musisz przeczytać tę książkę. To .... książka, jaką czytałem.

XI. Proszę uzupełnić podane zdania odpowiednim przyimkiem: od, niż, z (ze).

PRZYKŁAD:
Słońce jest jaśniejsze **od** lampy.

1. Marek jest najmilszy .... naszej klasy.

2. Samochód jest droższy .... rower.

3. Himalaje są najwyższe .... wszystkich gór.

4. Język polski jest trudniejszy .... języka angielskiego.

5. Kraków jest starszy i bardziej zabytkowy .... Łódź.

V

ODMIANA CZASOWNIKA

V.1. Słucham, powtarzam, notuję
Czas teraźniejszy

I[1]

A. Z podanego tekstu proszę wybrać czasowniki i wpisać je w odpowiednie miejsce w tabeli.

PORANNE CZYNNOŚCI

Ala: O której godzinie *(ty)* wstajesz?

Basia: *(Ja)* Wstaję o 7 siódmej rano.

Ala: Co *(ty)* potem robisz?

Basia: *(Ja)* Myję zęby, ubieram się i robię śniadanie.

Ala: Co wtedy robi twoja siostra?

Basia: Moja siostra jeszcze śpi. Budzę ją i *(my)* razem jemy.

Ala: Co *(wy)* jecie na śniadanie?

Basia: *(My)* Jemy chleb z serem. Moja siostra je jeszcze jogurt.

Ala: Czy *(wy)* coś pijecie?

Basia: Tak, *(my)* pijemy mleko. A co ty jesz na śniadanie?

Ala: *(Ja)* Jem bułkę z marmoladą i piję kakao.

Basia: Czy twoi rodzice jedzą śniadanie razem z tobą?

Ala: Nie, oni rozumieją, że lubię się wyspać. Wstają bardzo wcześnie, ubierają się, piją kawę i wychodzą. Czy *(ty)* sama sprzątasz po śniadaniu?

Basia: Nie, moja siostra myje naczynia, a potem *(my)* razem sprzątamy kuchnię.

Ala: Czy *(wy)* wychodzicie z domu o tej samej godzinie?

Basia: Tak, *(my)* wychodzimy razem.

Ala: Czy *(wy)* zamykacie drzwi na klucz?

Basia: Tak, moja siostra zawsze o tym pamięta.

	-ę, -esz	-ę, -isz(-ysz)	-am, -asz	-em, -esz
ja				
ty				
on, ona, ono				
my				
wy				
oni, one				

---

[1] Ćwiczenie przygotowane przez moją studentkę Barbarę Godłowską.

B. W odpowiednie miejsce w tabeli proszę wpisać końcówki czterech koniugacji.

Koniugacja	-ę, -esz	-ę, -isz (-ysz)	-am, -asz	-em, -esz
1 os. l.poj.	-ę		-am	
2 os. l.poj.				-esz
3 os. l.poj.		-i (-y)		
1 os. l.mn.				
2 os. l.mn.				
3 os. l.mn.				

II[2]. Proszę zamienić formy podkreślonych czasowników zgodnie z podanym przykładem:

<u>Wstaję</u> o siódmej rano. <u>Myję</u> zęby, <u>ubieram się</u> i <u>przygotowuję</u> śniadanie. Potem <u>budzę</u> moją siostrę i razem <u>jemy</u>. Po śniadaniu wspólnie <u>sprzątamy</u> kuchnię.

Basia (0) **wstaje** o siódmej rano. Ona (1) .... zęby, (2) .... i (3) ....

śniadanie. Potem (4) .... swoją siostrę i razem (5) .... Po śniadaniu wspólnie

(6) .... kuchnię.

III. Proszę uzupełnić tekst odpowiednimi formami czasowników w czasie teraźniejszym.

PRZYKŁAD:
Matylda **idzie** pieszo (iść) .

Profesor Rutkowski przyjechał do Warszawy. Teraz (on) (1) .... (iść) ulicą. Przyjeżdża

autobus. Profesor (2) .... (wsiadać) do autobusu i (3) .... (jechać) autobu-

sem. Na następnym przystanku (on) (4) .... (wysiadać) z autobusu. Rozgląda się.

Dwie dziewczyny (5) .... (jechać) rowerem. Tłumy (6) .... (chodzić)

po ulicy. Studenci (7) .... (wsiadać) do autobusu. Pewnie oni (8) ....

(jechać) na uniwersytet.

---

[2] Ćwiczenie przygotowane przez moją studentkę Barbarę Godłowską.

IV. Proszę uzupełnić tekst odpowiednimi formami czasowników w czasie teraźniejszym.

PRZYKŁAD:
Codziennie rano **biorę** (brać) prysznic.

(Ja) (1) .... (wstawać) rano o siódmej. (2) .... (iść) do kuchni i (3) .... (parzyć) herbatę i kawę dla całej rodziny. Moja córka (4) .... (kroić) chleb i ser. Syn (5) .... (włączać) radio i wszyscy (my) (6) .... (słuchać) wiadomości. Córka (7) .... (karmić) psa i kota, a następnie (8) .... (wychodzić) z psem na spacer. To ona (9) .... (opiekować się) zwierzętami i je (10) .... (pielęgnować). Mąż (11) .... (wyjeżdżać) do pracy o ósmej. Ja (12) .... (odprowadzać) dzieci do szkoły. Następnie wracam do domu i przygotowuję materiały na zajęcia. (Ja) (13) .... (wymyślać) i (14) .... (pisać) różne ćwiczenia i (15) .... (przeglądać) podręczniki. Po południu (ja) (16) .... (odbierać) dzieci ze szkoły i (my) (17) .... (wracać) do domu. Zwykle wszyscy (oni) (18) .... (namawiać) mnie, żebym zrobiła pierogi. Często (ja) (19) .... (zgadzać się), a cała rodzina (20) .... (cieszyć się) i pomaga mi.

V. Proszę uzupełnić tekst odpowiednimi formami czasowników w czasie teraźniejszym.

PRZYKŁAD:
Czy (ty) **lubisz** (lubić) sport?

Marku, jaki sport (1) .... (lubić) najbardziej? (Ja) (2) .... (lubić) sporty zimowe – narciarstwo i łyżwiarstwo, ale wprost (ja) (3) .... (uwielbiać) pływa-nie. A więc (ty) (4) .... (woleć) pływanie od jazdy na nartach? Zdecydowanie (ja) (5) .... (woleć). Ale mój brat (6) nie................................. (znosić) pływania. On boi się wody. Natomiast on (7) .... (uwielbiać) jazdę na łyżwach. Moja siostra z kolei (8) .... (woleć) narty od łyżew. Ona nie (9) .... (znosić) gry w siatkówkę. Mimo to my wszyscy (10) .... (lubić) sport.

VI. Proszę uzupełnić tekst czasownikami podanymi w ramce w bezokoliczniku lub w odpowiedniej formie gramatycznej czasu teraźniejszego.

przychodzić, wchodzić, wychodzić, schodzić, przechodzić

Mam na imię Zuzanna. Mieszkam w bardzo wysokim bloku. Moje mieszkanie jest na dziesiątym piętrze. Często muszę (0) **wchodzić** po schodach na górę, ponieważ winda ciągle jest zepsuta. Nie lubię (1) .... na górę, ale lubię (2) .... po schodach na dół. Kiedy otwieram drzwi i (3) .... do mieszkania, mój pies bardzo się cieszy. Ale kiedy (4) .... z domu, jest bardzo smutny. Niestety często (5) .... z domu, a (6) .... bardzo późno, ponieważ dużo pracuję. Lubię (7) .... do swojego domu, ponieważ jest ciepły i przytulny. Kiedy jest sobota, często nie (8) .... z domu i cały dzień czytam książki i słucham muzyki.

VII. Proszę uzupełnić zdania odpowiednią formą czasownika „móc" w czasie teraźniejszym.

PRZYKŁAD:

On **może** studiować za granicą.

My nie (1) .... już być razem. Ja nie (2) .... gotować ci ciągle twoich ulubionych dań i (ja) nie (3) .... oglądać twoich ulubionych filmów. Ty nie (4) .... mi mówić, że nie lubisz mojej najlepszej przyjaciółki. Twoja siostra nie (5) .... ciągle do nas przychodzić. Twoi rodzice nie (6) .... krytykować wszystkiego, co robię, a my nie (7) .... się ciągle kłócić.

VIII. Proszę uzupełnić zdania odpowiednią formą czasownika „musieć" w czasie teraźniejszym.

PRZYKŁAD:

On **musi** zacząć pracować.

Ja (1) .... zaprosić tę piękną dziewczynę do kina. Ona (2) .... się zgodzić. (My) (3) .... obejrzeć ten nowy film razem. Moi koledzy (4) .... ją poznać. Wy także (5) .... zapraszać swoje dziewczyny do kina i (wy) (6) .... dawać im często kwiaty.

IX. Proszę uzupełnić zdania odpowiednią formą czasownika „powinien".

PRZYKŁAD:
On **powinien** studiować historię.

1. Zosia jest chora, dlatego .... pójść do lekarza.
2. Czy Ania i Basia .... chodzić tak późno spać?
3. Jurku, pada deszcz, więc (ty) .... wziąć parasol.
4. Ja i Piotr .... przeczytać ten tekst jeszcze raz.
5. Myślę, że dzieci .... jeść więcej owoców!
6. (Wy – r. męskoosobowy) .... pomyśleć o swojej siostrze.
7. Piotrek i Paweł .... więcej się uczyć.
8. Każdy człowiek .... uprawiać sport.
9. Pies .... dużo biegać.
10. (Ty – r. ż.) .... przeczytać tę książkę.
11. (Ja – r. ż.) .... przestać się z tobą spotykać.
12. (Ja – r. m.) .... przeprosić swoją dziewczynę.

X. Co oni powinni zrobić? Proszę przeczytać o problemach różnych osób, wybrać odpowiedni czasownik lub wyrażenie z ramki i napisać zdanie, używając czasownika „powinien" / „powinna".

> **schudnąć, wyspać się, pójść do lekarza, posprzątać, zrobić pranie, umyć się, podlać kwiaty, nakarmić psa, nauczyć się, odpocząć, zrobić zakupy**

PRZYKŁAD:
– Twój kolega ma gorączkę i kaszle.
(On) – **Powinien pójść do lekarza.**

Twój przyjaciel jest bardzo gruby.
(Ty)   – ....
Twoja koleżanka ma straszny bałagan w pokoju.
(Ty)   – ....
Twój kolega jest bardzo śpiący. Uczy się do egzaminu ostatnio dzień i noc.
(On)   – ....

Ostatnio bardzo ciężko pracujesz i jesteś bardzo zmęczony.

(Ja) – ....

Dwaj chłopcy są bardzo brudni.

(Oni) – ....

Twoje koleżanki mają pustą lodówkę.

(One) – ....

Twoja koleżanka ma dużo brudnych ubrań.

(Ona) – ....

Ty i twój kolega źle napisaliście test z języka polskiego.

(My) – ....

Twoje koleżanki mają uschnięte kwiaty w doniczkach.

(Wy) – ....

Pies twoich kolegów siedzi nad pustą miską, jest bardzo głodny.

(Wy) – ....

XI. Proszę zmienić zdania według wzoru.

PRZYKŁAD:
Tu nie można rozmawiać przez komórkę. **Tu nie wolno rozmawiać przez komórkę.**
Tu nie wolno palić. **Tu nie można palić.**

1. Tu nie można głośno rozmawiać.

   ....

2. Tu nie wolno robić zdjęć.

   ....

3. Tu nie można wchodzić.

   ....

4. Tu nie wolno parkować.

   ....

5. Tu nie można się kąpać.

   ....

6. Tego nie wolno dotykać.

   ....

XII. Proszę uzupełnić zdania wyrazami podanymi w ramce.

należy (3x), **nie wolno** (3x), **musisz** (2x), **nie wypada**, **można** (2x)

0. Gdy leci się samolotem, **należy** wyłączyć telefon komórkowy.

1. Na stacji benzynowej .... palić papierosów.

2. Gdy jedziesz tramwajem, ... skasować bilet.

3. .... pytać kobiety o wiek.

4. Gdy jedzie się za granicę, ... wziąć ze sobą paszport.

5. W wielu sklepach .... płacić kartą.

6. Jeśli masz psa, ... wyprowadzać go na spacer.

7. Aby móc korzystać z telefonu komórkowego, ... wprowadzić kod PIN.

8. .... przechodzić przez ulicę na czerwonym świetle.

9. Telefonem komórkowym .... też robić zdjęcia.

10. .... niszczyć zieleni.

V.2. Przyjechałem do Polski pół roku temu
Aspekt dokonany i niedokonany w czasie przeszłym

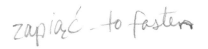
zapiąć - to fasten

I. Proszę uzupełnić zdania odpowiednimi formami czasowników w czasie przeszłym.

Kasia nie (0) **umiała** (umieć) jeździć na nartach. Marcin (1) ...*nie wiedział*... (wiedzieć) o tym, ale bardzo (2) ...*chciał*... (chcieć) ją nauczyć. Chłopiec z kolegami długo (3) ...*myślał*... (myśleć), jak namówić Kasię, aby spróbowała nauczyć się jeździć. Po długiej dyskusji z Marcinem Kasia zgodziła się. Dziewczyna (4) ...*miała*... (mieć) stare narty. Poszła z Marcinem na wysoką górę. Tam Kasia zapięła narty i zaczęła zjeżdżać. Niestety zaraz się przewróciła. Kiedy wstała, bolała ją noga i koledzy Kasi (5) ...*musieli*... (musieć) odprowadzić ją do domu. W domu dziewczyna poczuła się bardzo zmęczona, (6) ...*leżała*... (leżeć) chwilę w łóżku, a potem zasnęła. Następnego dnia Kasia (7) ...*wiedziała*... (wiedzieć) już, że nigdy nie zostanie narciarką. Trudno! Nie wszyscy muszą wszystko umieć – (8) ...*myślała*... (myśleć) dziewczyna. Kasia (9) ...*powiedziała*... (powiedzieć) Marcinowi, że z przyjemnością będzie się przyglądać, jak on jeździ.

II. Proszę uzupełnić zdania odpowiednimi formami czasowników w czasie przeszłym.

PRZYKŁAD:
Wczoraj **oglądałem** film (oglądać – r.m.).

Ten rok był dla mnie bardzo szczęśliwy. W zimie przez dwa tygodnie (ja – r.m.) (1) ...*jeździłem*... (jeździć) na nartach. Kiedy skończyłem studia, babcia ...*dała*... (dać) mi sporo pieniędzy. Zawsze (ja) (3) ...*marzyłem*... (marzyć) o podróżach. (Ja) (4) ...*mogłem*... (móc) więc pojechać do Egiptu. Moi przyjaciele i ja (5) ...*zwiedzaliśmy*... (zwiedzać) piramidy i (6) ...*pływaliśmy*... (pływać) w morzu. Po powrocie mój kolega (7) ...*zaproponował*... (zaproponować) mi pracę w swojej firmie. Moi koledzy (8) ...*powiedzieli*... (powiedzieć), że to bardzo dobra propozycja. Następnie koleżanka (9) ...*przedstawiła*... (przedstawić) mi swoją siostrę. To bardzo piękna i mądra dziewczyna. Szybko (my) (10) ...*zakochaliśmy się*... (zakochać się) w sobie.

obiecać – to promise

III. Proszę uzupełnić zdania odpowiednimi formami czasowników w czasie przeszłym.

Marek (0) **obiecał** (obiecać) Beacie, że przyjdzie punktualnie o siódmej. Marek zawsze
(1) ...*dotrzymywał*... (dotrzymywać) słowa, więc Monika spokojnie (2) ...*czekała*...(czekać).
Gdy Marka nie było o wpół do ósmej, Beata (3) ...*zaczęła*... (zacząć) się denerwować,
ale (4) ...*zdecydowała*... (zdecydować), że w tym czasie przygotuje coś dobrego do jedzenia.
(5) ...*gotowała*... (gotować) właśnie makaron, gdy (6) ...*przyszedł*... (przyjść) Marek.
Bardzo ją (7) ...*przepraszał*...(przepraszać) za to spóźnienie, ale był w sklepie i bardzo długo
(8) ...*kupował*... (kupować) dla niej prezent. Marek (9) ...*pamiętał*... (pamiętać), że tego
dnia były urodziny Beaty. Beata (10) ...*lubiła*... (lubić) dostawać prezenty, więc bardzo
(11) ...*ucieszyła się*... (ucieszyć się). Była to wspaniała płyta, którą Beata chciała mieć. Gdy
Beata (12) ...*oglądała*... (oglądać) płytę, Marek (13) ...*zajmował się*... (zajmować się)
gotowaniem. (14) ...*zrobił*... (zrobić) pyszny sos do makaronu i wspaniałą sałatkę. Beata
(15) ...*pochwaliła*... (pochwalić) go za świetną kolację.

IV. Proszę wybrać poprawną formę.

PRZYKŁAD:
Wczoraj (ja) <u>poszedłem</u> / szedłem do kina.

Ostatnie lato Marysia (1) spędzała / <u>spędziła</u> u dziadków w górach. Pewnego dnia (2) <u>poznała</u>
/ znała tam bardzo miłego chłopca, który miał na imię Andrzej. Marysia i Andrzej (3) <u>spo-</u>
<u>tykali się</u> / spotkali się często i dużo (4) porozmawiali / <u>rozmawiali</u>. Codziennie (5) <u>cho-</u>
<u>dzili</u> / poszli też na spacery. Niestety Andrzej (6) <u>mieszkał</u> / zamieszkał w Gdańsku, a Mary-
sia w Krakowie. Kiedy lato (7) się kończyło / <u>się skończyło</u>, Marysia (8) wracała / <u>wróciła</u> do
Krakowa, a Andrzej do Gdańska. Od tego czasu Marysia codziennie (9) napisała / <u>pisała</u> do
Andrzeja e-maile, a Andrzej (10) <u>napisał</u> / pisał tylko raz.

V. Proszę napisać, dokąd oni poszli.

0. Małgosia – sklep

Małgosia poszła do sklepu.
....

1. ja (chłopak) – kino

ja poszedłem do kina

2. ja (dziewczyna) – kawiarnia

ja poszłam do kawiarni

3. dziadek Janek – park

Janek poszedł do parku

4. babcia Alina – sąsiadka

Alina poszła do sąsiadki

5. my (chłopak i dziewczyna) – uniwersytet

my poszliśmy na uniwersytet

6. my (dwie dziewczyny) – szkoła

my poszłymy do szkoły

7. Maciek i Agata – teatr

poszli do teatru

8. Weronika i Alicja – koleżanka

poszły do koleżanki

9. ty (chłopak) – dziewczyna

poszedłeś do dziewczyny ....

10. ty (dziewczyna) – poczta

poszłaś na pocztę ....

11. wy (dziewczyny) – dom

poszłyście do domu ....

12. wy (dziewczyna i chłopak) – dentysta

poszliście do dentysty ....

VI.   Za pomocą podanych przedrostków proszę utworzyć odpowiedni czasownik w aspekcie dokonanym.

Po-, przy-, wy-.

PRZYKŁAD:

Wczoraj **wy**szedłem z domu o ósmej.

1. Wczoraj (1) ...*po*...szedłem do dentysty.
2. Dwa dni temu Małgosia (2) ...*po*...jechała na wakacje.
3. W środę (3) *przy*...szła do nas babcia.
4. Piotrek (4) ...*wy*...jechał z Polski trzy miesiące temu.
5. Hans (5) *przy*...jechał do Polski z Niemiec w zeszłym tygodniu.
6. Cieszę się, że do nas (6) *przy*...szedłeś!
7. Dobrze, że (7) ...*po*...szliście z nami do kina.
8. (8) ...*po*...szedłem do księgarni i kupiłem bardzo dobry kryminał.
9. Kiedy (9) ...*wy*...szliśmy z domu, padał deszcz.
10. Rodzice nie mogli (10) ...*wy*...jechać z garażu, ponieważ było bardzo dużo śniegu.

VII. Proszę ułożyć zdania według wzoru. W każdym zdaniu proszę zastosować czas przeszły.

PRZYKŁAD:

(Ja – r.ż.) jeść obiad, zadzwonić, telefon

Kiedy jadłam obiad, zadzwonił telefon.

1. (Ty – r.m.) sprzątać mieszkanie, przyjść, Marek
   Kiedy sprzątałeś mieszkanie, przyszedł Marek
2. (On) pracować, zadzwonić, Marta
   Kiedy pracował, zadzwoniła Marta
3. (Ona) czytać, zacząć padać, deszcz
   Kiedy czytała, zaczął padać deszcz
4. (My – r.ż.) rozmawiać, przyjść, Dorota
   Kiedy rozmawiałyśmy, przyszła Dorota
5. (Wy – r. męskoosobowy) iść ulicą, zdarzyć się, wypadek
   Kiedy szliście ulicą, zdarzył się wypadek
6. (Oni) spać, zatelefonować, Jurek
   Kiedy spali, zatelefonował Jurek
7. (One) oglądać film, przyjść, sąsiad
   Kiedy oglądały film, przyszedł sąsiad

zdarzyć się – to happen, occur

8. (Ja – r.m.) brać prysznic, (ja) złamać nogę

   Kiedy brałem prysznic złamałem nogę

9. (Ty – r.ż.) robić zakupy, (ty) zgubić pieniądze

   Kiedy robiłaś zakupy, zgubiłaś pieniądze

10. (My – r. męskoosobowy) jeździć na nartach, przewrócić się, Mateusz

    Kiedy jeździliśmy na nartach, przewrócił się Mateusz

VIII. Proszę wybrać odpowiedni czasownik i użyć go w poprawnej formie czasu przeszłego lub w formie bezokolicznika.

PRZYKŁAD:

Mama zawsze **gotowała** (gotować / ugotować) pyszne obiady, ale wczoraj obiad **ugotowała** moja siostra.

Michalina często (1) *spotykała się* (spotykać się / spotkać się) z Szymonem. Wczoraj także się z nim (2) *spotkała* (spotykać / spotkać). Szymon nigdy nie (3) *spóźniał się* (spóźniać się / spóźnić się), jednak wczoraj pierwszy raz (4) *spóźnił się* (spóźniać się / spóźnić się). Michalina (5) *czekała* (czekać / poczekać) na niego bardzo długo. W końcu Szymon (6) *przyszedł* (przychodzić / przyjść). (On) (7) *powiedział* (mówić / powiedzieć), że nie miał czasu nawet (8) *zjeść* (jeść / zjeść) obiadu i (9) *wypić* (pić / wypić) kawy. (On) (10) *zaprosił* (zapraszać / zaprosić) Michalinę na kawę i lody do kawiarni. Michalina (11) *powiedziała* (mówić / powiedzieć), że nie (12) *napisała* (pisać / napisać) dzisiaj maila do swojej przyjaciółki i nie (13) *przeczytała* (czytać / przeczytać) książki, którą powinna już oddać do biblioteki. Zdarzyło się to po raz pierwszy. Do tej pory zawsze regularnie (14) *pisała* (pisać / napisać) maile do swoich koleżanek i (15) *czytała* (czytać / przeczytać) w terminie książki, które pożyczyła z biblioteki. Szymon ze smutkiem powiedział, że nie (16) *ugotował* (gotować / ugotować) też obiadu na następny dzień i jutro też będzie pewnie bez obiadu. Michalina zdziwiła się, bo Szymon lubił (17) *gotować* (gotować / ugotować). Ale ten dzień był inny niż wszystkie i ani Szymon, ani Michalina nie (18) *zrobili* (robić / zrobić) tego, co (oni) zwykle (19) *robili* (robić / zrobić).

IX. Proszę wybrać odpowiedni czasownik i użyć go w poprawnej formie czasu przeszłego.

PRZYKŁAD:

Państwo Górscy **przyjmowali** mnie zawsze serdecznie. (przyjmować / przyjąć)

1. Marysia *zapomniała* kluczy do samochodu i musiała wrócić do domu. (zapominać / zapomnieć)

2. Profesor często *opowiadał* wesołe anegdoty. (opowiadać / opowiedzieć)

3. Zosia podeszła do nas, gdy tylko nas *zobaczyła* (widzieć / zobaczyć)

4. Basia *zgubiła* swoją parasolkę w pociągu. (gubić / zgubić)

5. Samochód musiał się zatrzymać, ponieważ dzieci powoli *przechodzić* przez ulicę. (przechodzić / przejść)

X. Proszę wybrać odpowiedni czasownik i użyć go w poprawnej formie czasu przeszłego.

PRZYKŁAD:

Ten film był nudny i nie **skończyłam** (kończyć – skończyć) go oglądać.

1. Agata *napisała* (pisać – napisać) długi e-mail do koleżanki, a potem go wysłała.

2. Dwie godziny (ja – r.m.) *namawiałem* (namawiać – namówić) Marka na obejrzenie tego filmu, ale nie zgodził się.

3. Rok temu Marta *wzięła* (brać – wziąć) ze schroniska dwa psy i trzy koty i opiekuje się nimi do dziś.

4. Paweł nie umiał zrobić zadania i dlatego nie *poszedł* (iść – pójść) do szkoły.

5. Dominika *wychodziła* (wychodzić – wyjść) trzy razy i za każdym razem o czymś zapominała.

namawiać // namówić – to persuade

V.3. Wrócę tu na pewno
Aspekt dokonany i niedokonany w czasie przyszłym

I. Proszę odpowiedzieć na pytania, używając czasu przyszłego.
   Co Kinga będzie robić w górach?

PRZYKŁAD:
Kinga **będzie śpiewać / śpiewała** góralskie piosenki. (śpiewać)

1. Kinga .... po górach. (chodzić)

2. Kinga .... góralskich piosenek. (słuchać)

3. Kinga .... rodzinę swojego chłopaka – Pawła. (odwiedzać)

Co Kinga i Paweł będą robić w górach?

4. Oni .... widoki. (oglądać)

5. Oni .... regionalne potrawy. (jeść)

6. Oni .... pamiątkowe zdjęcia. (robić)

Co ty, Robercie, będziesz robić w górach?

7. Ja .... ze znajomymi. (spotykać się)

8. Ja .... grzyby. (zbierać)

9. Ja .... na nartach. (jeździć)

Co wy, Aniu i Dominiku, będziecie robić w górach?

10. My .... ciekawe miejsca. (zwiedzać)

11. My .... przy góralskiej muzyce. (tańczyć)

12. My .... ze znajomymi. (rozmawiać)

II

A. Michał ma 8 lat, ale nie jest grzecznym dzieckiem. Mama poprosiła Michała, aby napisał swoje postanowienia noworoczne. Co będzie robił, a czego nie będzie robił w przyszłym roku.

Proszę przeczytać wyrażenia w ramce i pomóc napisać Michałowi postanowienia. Proszę uważać na poprawne formy.

zabierać kredki bratu, zjadać deser siostrze, ciągnąć kota za ogon, uczyć się, odrabiać zadanie, codziennie czytać książki, oglądać dużo telewizji, grać w gry komputerowe, sprzątać pokój, wyrzucać śmieci, **karmić rybki**, bić się z kolegami

0. Nie będę **zabierać kredek bratu**.   Będę **karmić rybki**.

1. ....

2. ....

3. ....

4. ....

5. ....

B. Michalina to siostra Michała. Michalina ma 15 lat. Mama poprosiła także Michalinę, aby napisała swoje postanowienia noworoczne. Proszę przeczytać wyrażenia w ramce i pomóc napisać Michalinie postanowienia. Proszę uważać na poprawne formy.

plotkować z koleżankami, wychodzić z psem, wysyłać SMS-y podczas lekcji, **jeść śniadania**, jeść słodkie batoniki, krzyczeć na młodszych braci, chodzić na basen, kłócić się z rodzicami, codziennie uczyć się hiszpańskiego, pomagać Michałowi w lekcjach, odprowadzać Marka do przedszkola, chodzić spać późno

0. Nie będę **plotkować z koleżankami**.   Będę **jeść śniadania**.

1. ....

2. ....

3. ....

4. ....

5. ....

III. W tabelce proszę odszukać pary aspektowe w czasie przyszłym. Obok proszę napisać formy bezokoliczników.

1. będę szedł	7. będziesz jadła	13. będziecie grali	19. będziemy czytały	25. pojadę
2. posprząta	8. napisze	14. obejrzę	20. zwiedzisz	26. będziemy zapraszać
3. będą pili	9. będziemy się opalały	15. będzie dawał	21. dostanę	27. kupimy
4. da	10. będę dostawała	16. zjesz	22. będziemy kupowały	28. opalimy się
5. będziesz zwiedzał	11. zaprosimy	17. przeczytamy	23. **pójdę**	29. wypiją
6. będę oglądała	12. zagracie	18. będą jechali	24. będzie sprzątał	30. będzie pisała

PRZYKŁAD:
będę szedł – pójdę (iść – pójść),

1. ....,
2. ....,
3. ....,
4. ....,
5. ....,
6. ....,
7. ....,
8. ....,
9. ....,
10. ....,
11. ....,
12. ....,
13. ....,
14. ....,

IV. Proszę wybrać odpowiedni do kontekstu czasownik dokonany lub niedokonany.

Jutro Weronika (0) **pójdzie** / będzie szła po raz pierwszy do nowej pracy. Codziennie (1) będzie wstawała / wstanie o siódmej, ponieważ pracę (2) zacznie / będzie zaczynała o ósmej trzydzieści. W nowej pracy na pewno (3) będzie znała / pozna wielu interesujących ludzi. Weronika (4) nauczy się / będzie się uczyła też intensywnie języka portugalskiego, ponieważ za pół roku (5) wyjedzie / będzie wyjeżdżała na staż do Lizbony. Dlatego Weronika (6) będzie chodziła / pójdzie dwa razy w tygodniu na kurs językowy. Weronika umówiła się też ze swoją przyjaciółką, że jutro wieczorem (7) zadzwoni / będzie dzwoniła do niej i wszystko jej (8) będzie opowiadała / opowie. Przyjaciółka Weroniki (9) będzie czekała / poczeka z niecierpliwością na wiadomości od Weroniki. Weronika ma nadzieję, że jutro nie (10) spóźni się / będzie spóźniała się do pracy.

V. Co powiemy w następujących sytuacjach? Proszę ułożyć pytania w czasie przyszłym i wykorzystać wyrazy w nawiasie.

PRZYKŁAD:
Jesteś w bibliotece, książka stoi wysoko, obok stoi bardzo wysoki kolega. (ty, mi, podać, tę książkę).
Czy podasz mi tę książkę?

1. Jesteś chory / chora. Nie masz nic do jedzenia. (ty, mi, zrobić zakupy)
   ....

2. Przychodzisz do sklepu, chcesz obejrzeć buty. (pani, mi, pokazać te buty)
   ....

3. W pokoju jest bałagan. (ty, posprzątać pokój)
   ....

4. Ta książka jest bardzo interesująca. (wy, przeczytać tę książkę)
   ....

5. Nasz pies musi iść na spacer. (wy, pójść z psem na spacer)
   ....

6. Nasza sąsiadka zostanie sama na święta. (my, zaprosić sąsiadkę)
   ....

7. Zbliżają się wakacje. (my, pojechać nad morze)
   ....

8. W Krakowie jest nowe muzeum. (wy, zwiedzić to muzeum)
   ....

9. Poznaliście sympatyczne małżeństwo. (państwo, przyjść do nas)
   ....

10. Niestety nie rozumiesz ćwiczenia z gramatyki. (pan, mi, wytłumaczyć to ćwiczenie)

....

VI. Co powiemy w następujących sytuacjach? Proszę wykorzystać czasowniki z ramki. Proszę pamiętać o aspekcie.

> **posprzątać, dostać, uczyć się, powiedzieć, pić, wychodzić, pojechać, zrobić, przeczytać, jeść, pójść**

PRZYKŁAD:
Mam bardzo brudno w mieszkaniu. **Jutro posprzątam mieszkanie.**

1. Za dwa dni muszę oddać książkę do biblioteki. Jutro .... książkę.
2. Nie mam w domu nic do jedzenia. Jutro .... zakupy.
3. W przyszłym tygodniu mamy test z gramatyki. Jutro my (r. męskoosobowy) ....
   .... cały dzień.
4. Nie mogę dłużej kłamać. Jutro .... mu całą prawdę.
5. Dziś znowu spóźniłam się do pracy. Od jutra .... wcześniej z domu.
6. Nie czuję się dobrze po kawie. Od jutra (ja – r.ż.) .... kawy.
7. Ten film ma bardzo dobre recenzje. Jutro (my) .... do kina.
8. Karolu, musisz schudnąć! Od jutra .... przede wszystkim warzywa i owoce.
9. Ciocia Krysia zaprosiła nas na swoje imieniny. Jutro .... do Warszawy.
10. Zosia czeka na tę paczkę już dwa tygodnie. Ma nadzieję, że .... ją jutro.

VII. Proszę wybrać odpowiedni czasownik i użyć go w poprawnej formie czasu przyszłego.

PRZYKŁAD:
Jutro (ja) **napiszę** to zadanie. (pisać / napisać)

Nazywam się Zbyszek Ciszewski. W przyszłym roku (1) .... (jechać / pojechać) do Afryki. W Afryce mieszka mój brat z rodziną. Najpierw (2) .... (zwiedzać / zwiedzić) Afrykę Południową, potem (3) .... (studiować) w Kenii język suahili. Kiedy się (4) .... (uczyć / nauczyć) tego języka, (5) .... (zaczynać / zacząć) studiować kulturoznawstwo. Później (6) .... tam ....

(pracować). Nie wiem, kiedy (7) .... (wracać / wrócić) do Polski. Potem

(8) .... (żenić się / ożenić się) z moją dziewczyną. My (9) ....

(budować / zbudować) piękny dom i (my) (10) .... dużo .... (podróżować).

Później (my) (11) .... (przeprowadzać się / przeprowadzić się) w góry. Tam

(my) (12) .... (mieszkać / zamieszkać) do końca życia.

VIII. Proszę wybrać z ramki odpowiedni czasownik, użyć go w poprawnej formie czasu
przyszłego i uzupełnić list.

> **jeździć, dostać, pić, skończyć, pracować, pomyśleć, zobaczyć się, pomóc,**
> **zrealizować, uczyć się, pojechać (4x), zostać, rozmawiać, spróbować,**
> **remontować, chodzić, spędzić**

Kraków, 10 stycznia

Kochana Ewo!

Przepraszam, że tak długo nie pisałam, ale byłam bardzo zajęta. Pytałaś mnie o plany na nad-
chodzący rok. Mam ich bardzo dużo. Nie wiem tylko, czy wszystkie je (0) **zrealizuję**. W tym
miesiącu na pewno (1) .... projekt, który teraz robię. Pod koniec miesiąca (2) ....
.... też w góry do moich dobrych przyjaciół. (My – r. męskoosobowy) (3) ....
tam trzy cudowne dni. (4) .... na nartach, (5) .... o wielu sprawach i (6) .... dobre wino. W lutym (ja) (7) .... do Włoch i przez dwa tygodnie (8) .... włoskiego. Cały marzec (9) ...., ponieważ to gorący czas
w naszym biurze. W kwietniu (10) .... moje mieszkanie. Ściany są już brudne
i trzeba je pomalować. Krzysiek powiedział, że mi (11) .... W maju (my – r. męskoosobowy) (12) .... na długie spacery i wycieczki. W czerwcu (ja) (13) ....
...... o wakacjach. Na wakacje pewnie (14) .... do Francji. Mieszka tam moja koleżanka,
chętnie (my – r. niemęskoosobowy) (15) .... Nie widziałyśmy się od bardzo dawna.
We wrześniu (ja) (16) .... dostać pracę w Anglii. Znalazłam bardzo ciekawą ofertę
pracy dla młodego architekta w Londynie. Jeżeli (17) .... tę pracę, (18) ....
do Anglii już na początku listopada. W Londynie (19) .... co najmniej pół roku.

A co u Ciebie? Jak chowają się Twoje dziewczynki? Bardzo chciałabym się z Tobą zobaczyć.
Może nam się to uda!

Pozdrawiam serdecznie Ciebie i Twoją rodzinę.

Małgosia

IX. Proszę zamienić czasowniki w czasie przeszłym na czasowniki w czasie przyszłym.

Ostatnie wakacje (0) **spędziłem** w górach. Na początku lipca (1) pojechałem autobusem do niewielkiej wsi, tam (2) odpocząłem dwa dni i (3) poczekałem na moich przyjaciół, którzy (4) przyjechali trochę później. Trzeciego dnia (5) wzięliśmy plecaki, (6) włożyliśmy odpowiednie buty i (7) ruszyliśmy w góry. (8) Szliśmy wiele godzin, w końcu (9) zatrzymaliśmy się na nocleg w starym, ale pięknie położonym schronisku. Tam (10) zjedliśmy porządny posiłek i (11) położyliśmy się spać. Następnego dnia (12) obudziliśmy się wcześnie, (13) wypiliśmy gorącą kawę i (14) poszliśmy w dalszą drogę.

Następne wakacje (0) **spędzę** w górach. Na początku lipca ....

....

....

....

....

....

....

....

X. Proszę poprawić błędy w podanych zdaniach. Jeżeli w zdaniu jest błąd, proszę napisać zdanie poprawnie.

PRZYKŁAD:
W przyszłym miesiącu codziennie nauczę (r.ż.) się hiszpańskiego.
W przyszłym miesiącu codziennie **będę uczyła się** hiszpańskiego.
Jutro pójdę do kina.

1. W przyszłą sobotę będziemy jechali do Gdańska.

   ....

2. Jutro będę wstawał o ósmej.

   ....

3. Przyjdziemy (r. męskoosobowy) do was w niedzielę.

   ....

4. W tym roku dwa razy w tygodniu pójdę (r.m.) na basen.

   ....

5. To lekarstwo będzie pani zażywała dwa razy dziennie przez dwa tygodnie.

   ....

6. Jutro zamówimy (r. niemęskoosobowy) pizzę do domu.

   ....

7. Postanowiłam, że od jutra regularnie pójdę na spacer.

   ....

8. W lecie często zjem (r.ż.) lody.

   ....

9. Czy w czasie wakacji będziecie jechali nad morze?

   ....

10. Po południu Paweł i Krzysiek zrobią zakupy.

    ....

V.4. Naucz się języka polskiego!
Tryb rozkazujący

I[1]. Proszę uzupełnić tabelę.

	pisać	pić	myśleć	jeść	czytać
1 os. l.poj.	piszę	piję	myślę	jem	czytam
2 os. l.poj.	piszesz	pijesz	myślisz	jesz	czytasz
3 os. l.mn.	piszą	piją	myślą	jedzą	czytają
Tryb rozkazujący (2 os. l. poj.)	Pisz!	pij	myśl	Jedz!	Czytaj!
Tryb rozkazujący (1 os. l. mn.)	Piszmy!	pijmy	Myślmy!	Jedzmy!	czytajmy
Tryb rozkazujący (2 os. l. mn.)	Piszcie!	pijcie	myślcie	jedzcie	Czytajcie!

II[2]. Połącz zdania z kolumny A z czasownikami z kolumny B

KOLUMNA A	KOLUMNA B
1. **Dlaczego nie piszesz?**	a) Słuchaj!
2. Dlaczego nie czytasz?	b) Jedz!
3. Dlaczego nie odpowiadasz?	c) Kończ!
4. Dlaczego nic nie jesz?	d) **Pisz!**
5. Dlaczego nic nie mówisz?	e) Zaczynaj!
6. Dlaczego nic nie robisz?	f) Czytaj!
7. Dlaczego nie kończysz pisać?	g) Odpowiadaj!
8. Dlaczego nie zaczynasz pisać?	h) Mów!
9. Dlaczego nie słuchasz?	i) Rób!

---

[1] Ćwiczenie przygotowane przez moją studentkę Barbarę Godłowską.
[2] Ćwiczenie przygotowane przez moją studentkę Barbarę Godłowską.

III[3]. Proszę uzupełnić ćwiczenie zgodnie z podanym przykładem.

1. przeczytać   **przeczytaj!**........................   **przeczytajcie!**.................
   a) oglądać   *oglądaj*   *oglądajcie*
   b) powtarzać   *powtarzaj*   *powtarzajcie*
   c) pamiętać   *pamiętaj*   *pamiętajcie*
   d) odpowiadać   *odpowiadaj*   *odpowiadajcie*
   e) biegać   *biegaj*   *biegajcie*

2. pisać   **pisz!**........................   **piszcie!**.........................
   a) pić   *pij*   *pijcie*
   b) kupować   *kupuj*   *kupujcie*
   c) wstawać   *wstawaj*   *wstawajcie*
   d) jechać   *jedź*   *jedźcie*
   e) myć się   *myj się*   *myjcie się*

3. chodzić   **chodź!**........................   **chodźcie!**.........................
   a) płacić   *płać*   *płaćcie*
   b) mówić   *mów*   *mówcie*
   c) liczyć   *licz*   *liczcie*
   d) uczyć się   *ucz się*   *uczcie się*
   e) tańczyć   *tańcz*   *tańczcie*

IV[4]. Proszę przekształcić zdania zgodnie z podanym przykładem.

1. Musisz poszukać klucza. **Poszukaj klucza!**

   a) Musisz pomalować ten pokój. ....

   b) Musisz ugotować coś dobrego. ....

   c) Musisz napisać do niej list. ....

   d) Musisz przetłumaczyć ten tekst. ....

   e) Musisz umyć to jabłko. ....

2. Musicie przeczytać tę książkę. **Przeczytajcie tę książkę!**

   a) Musicie porozmawiać o tym z Ewą. ....

   b) Musicie posłuchać dzisiaj radia. ....

   c) Musicie na mnie poczekać. ....

   d) Musicie sprzedać ten samochód. ....

   e) Musicie się więcej uczyć. ....

---

[3] Ćwiczenie przygotowane przez moją studentkę Barbarę Godłowską.
[4] Ćwiczenie przygotowane przez moją studentkę Barbarę Godłowską.

V⁵. Proszę przekształcić tekst zgodnie z podanym przykładem.

PRZYKŁAD:
Proszę napić się herbaty. **Napij się herbaty!**

1. Proszę uczyć się polskiego. ....
2. Proszę mówić po polsku. ....
3. Proszę wypić kawę. ....
4. Proszę o tym pomyśleć. ....
5. Proszę iść do sali. ....

VI. Jak zrobić pranie, aby ubrania nie były zniszczone? Prosta instrukcja dla osób, które mają z tym problemy.
Proszę wykorzystać czasowniki podane w ramce, utworzyć tryb rozkazujący i uzupełnić zdania pod ilustracjami.

posortować, zamknąć, nastawić, wsypać, włożyć, wlać, przycisnąć

PRZYKŁAD:

1. **Posortuj** brudne ubranie na kolory jasne i ciemne.

2. .... pranie do pralki.

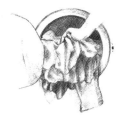

3. .... drzwiczki pralki.

---

⁵ Ćwiczenie przygotowane przez moją studentkę Barbarę Godłowską.

4. .... proszek do odpowiedniego dozownika.

5. .... płyn do płukania do odpowiedniego dozownika.

6. .... odpowiedni program.

7. .... przycisk: START.

VII[6]. Proszę przekształcić zdania zgodnie z podanym przykładem.

PRZYKŁAD:
Kup chleb. **Nie kupuj chleba!**

1. Napisz do niego. ....
2. Przeczytaj ten list. ....
3. Zjedzcie teraz obiad. ....
4. Ugotuj dzisiaj spaghetti. ....
5. Zróbcie to ćwiczenie. ....
6. Nauczcie się tego na pamięć. ....
7. Wypij kawę. ....
8. Posprzątaj pokój. ....

---

[6] Ćwiczenie przygotowane przez moją studentkę Barbarę Godłowską.

9. Zażyj to lekarstwo. ....

10. Weź tę torbę. ....

VIII. Następujące zdania proszę zamienić na zdania w trybie rozkazującym.

PRZYKŁAD:

Oni muszą to zrobić. **Niech oni to zrobią.**

1. Krzysiek musi tam iść..

2. Państwo muszą się zdecydować. ....

3. On musi jej to powiedzieć. ....

4. Pani musi to podpisać. ....

5. Oni muszą przeprosić tę dziewczynę. ....

6. Pan musi kogoś zapytać. ....

7. Ala musi zaprosić Marka. ....

8. Państwo muszą tego posłuchać. ....

9. Dziewczyny muszą się tego nauczyć. ....

10. Pan musi za to zapłacić. ....

11. Pani musi to obejrzeć. ....

12. Państwo muszą zwiedzić to muzeum. ....

IX. Proszę zmienić zdania zgodnie z przykładem.

Agnieszka ma syna – Krzysia. Krzyś ma 12 lat i jutro cały dzień będzie sam, ponieważ jego mama cały dzień spędzi w pracy. Mama mówi, co Krzyś musi jutro zrobić, a czego nie powinien robić.

0. Krzyś musi wstać o 7.00.

1. Krzyś musi się umyć i ubrać.

2. Krzyś musi zjeść śniadanie.

3. Krzyś musi wyjść do szkoły o 7.45.

4. Krzyś musi wrócić do domu zaraz po szkole.

5. Krzyś musi wziąć sobie obiad.

6. Krzyś musi zrobić lekcje.

7. Krzyś nie powinien oglądać telewizji.

8. Krzyś nie powinien grać na komputerze.

9. Krzyś musi zadzwonić do babci.

10. Krzyś nie powinien otwierać nikomu drzwi.

0. **Wstań o siódmej!**

1. ....

2. ....

3. ....

4. ....

5. ....

6. ....

7. ....

8. ....

9. ....

10. ....

X. Proszę uzupełnić tekst odpowiednimi formami.

Ala mówi do swoich przyjaciół: mam pomysł, (0) **weźmy** (wziąć) jutro rowery, (1) ....
(jechać) nad rzekę, (2) .... (zjeść) kanapki, (3) .... (wypić) sok,
(4) .... (porozmawiać), (5) .... (wrócić) po południu, (6) ....
(chodzić) wieczorem do kina, (7) .... (obejrzeć) jakiś dobry film, potem
(8) .... (pospacerować) po parku, (9) .... (spotkać się)
z Andrzejem i (10) .... (opowiedzieć) mu o naszych planach.

V.5. Gdybym był bogaty...
Tryb przypuszczający

I. Proszę uzupełnić podane zdania odpowiednią formą czasownika „chcieć" w trybie przypuszczającym i logicznie połączyć kolumny A i B.

A   B

PRZYKŁAD:

0. (Ja – r.m.) **Chciałbym** przeczytać tę książkę,   0. ale nie mam czasu.

1. Marek .... zaprosić Kingę,   1. ale nie ma nowej do kina, sukienki.

2. Ula .... pójść na imieniny   2. ale nie znają numeru.
   do koleżanki,

3. (Ja – r.ż.) .... pojechać na   3. ale nie umiemy piec.
   wakacje do Hiszpanii,

4. Robert i Ania ....   4. ale nikomu nic nie chcecie pożyczać.
   zatelefonować do swojej koleżanki,

5. (Wy – r. męskoosobowy) ....   5. ale w ogóle nie trenujesz.
   mieć same dobre oceny w szkole,

6. (My – r. niemęskoosobowy) ....   6. ale się nie uczycie.
   upiec wspaniałe ciasto,

7. Marysia i Kasia ....   7. ale nie macie czasu chodzić z nim na
   śpiewać w chórze,   spacery.

8. (Wy – r. męskoosobowy) ....   8. ale nie szukasz pracy.
   mieć psa,

9. (Ty – r.ż.) .... dużo zarabiać,   9. ale nie mam pieniędzy.

10. (Wy – r. niemęskoosobowy) ....   10. ale nie mają talentu muzycznego.
    być dobrymi koleżankami,

11. (Ty – r.m.) .... wygrać te zawody   11. ale ona nie ma ochoty.
    pływackie,

II. Proszę uzupełnić tabelę odpowiednimi formami czasowników.

osoba	chcieć		woleć		czytać		wiedzieć	
	forma cz. przeszłego	końcówka	forma cz. przeszłego	końcówka	forma cz. przeszłego	końcówka	forma cz. przeszłego	końcówka
ja	chciał	-bym						
ja			wolała	-bym				
ty					czytał	-byś		
ty								
on								
ona								
ono								
my								
my							wiedziały	-byśmy
wy								
wy								
oni								
one								

III. Proszę połączyć logicznie zdania.

PRZYKŁAD:
1 – 12
Jeżeli chciałabym schudnąć, grałabym w tenisa.

1. **Jeżeli chciałabym schudnąć,**
3. Jeżeli umielibyście jeździć na nartach,
5. Jeżeli umówiłby się z nią,
7. Jeżeli podałbyś mi adres,
9. Jeżeli mieliby więcej czasu,
11. Jeżeli bylibyśmy w Londynie,
13. Jeżeli przyszedłbyś do mnie,
15. Jeżeli miałabym egzamin,
17. Jeżeli nie mieliby w domu nic do jedzenia,
19. Jeżeli nie pracowałbym tak dużo,

(2) czytałbym książki.
(4) zwiedzilibyśmy miasto.
(6) zrobiliby zakupy.
(8) wypilibyśmy kawę.
(10) uczyłabym się więcej.
(12) **grałabym w tenisa.**
(14) pojechalibyście w góry.
(16) byłaby szczęśliwa.
(18) odpoczywaliby.
(20) odwiedziłabym cię.

....

....

....

....

....

....

....

....

....

IV. Proszę dokończyć następujące zdania w trybie przypuszczającym.

PRZYKŁAD:
Gdybym wygrał dużo pieniędzy, **kupiłbym / kupiłabym** piękny dom (kupić piękny dom).

1. Jeżeli straciłbym pracę, ... (sprzedać samochód).
2. Jeżeli poszłabyś do lekarza, ...
   (nie być teraz tak chora).
3. Jeżeli mieliby dużo czasu, ...
   (podróżować po całym świecie)
4. Jeżeli uczylibyście się dobrze, ... (pójść na studia).
5. Jeżeli spotkałabym na ulicy Marka, ...
   (chcieć z nim porozmawiać).

V. Proszę zmienić formy trybu oznajmującego na formy trybu warunkowego.

PRZYKŁAD:
Dzisiaj jest sobota, możemy długo spać.
Gdyby dzisiaj **była** sobota, **moglibyśmy** długo spać.

(zjemy) (1) .... śniadanie o dwunastej. Potem (pójdziemy)
(2) .... na zakupy. Po zrobieniu zakupów ty Zosiu (pojedziesz)
(3) .... taksówką do rodziców, a ja (pójdę – r.m.) (4) ....
na mecz koszykówki. (Wrócimy) (5) .... do domu późnym popołudniem.
(Wypijemy) (6) .... kawę, a wieczorem (odwiedzimy) (7) ....
.... sąsiadów. U nich (możemy) (8) .... obejrzeć film. Po filmie (zagramy)
(9) .... w karty. Po północy (położymy się) (10) .... spać.

VI. Proszę uzupełnić poniższy tekst odpowiednimi formami czasowników w trybie przypuszczającym[1].

Sonda uliczna: „Co zrobiłbyś, gdybyś wygrał 10 milionów na loterii?"

– Przepraszam, czy mogę ci zadać pytanie?

– Proszę bardzo.

– Co byś zrobił, gdybyś wygrał 10 milionów na loterii?

– Hmm... Przez kilka lat (0) **jeździłbym** (jeździć) po świecie i (1) .... (zwiedzać) miejsca, które zawsze chciałem zobaczyć. Może (2) .... (kupić) jakiś statek i (3) .... (zabrać) rodzinę w rejs dookoła świata.

– Co zrobiłaby pani, gdyby wygrała pani 10 milionów na loterii?

– Hmm... Przede wszystkim (4) .... (kupić) sobie duży dom nad morzem, a córce – mieszkanie w Warszawie. Resztę pieniędzy (5) .... (dać) na cele charytatywne.

– A pan? Co by pan zrobił?

– Prawdopodobnie (6) .... (zainwestować) na giełdzie. Aha! (7) .... (spełnić) największe marzenie żony – (8) .... (zafundować) jej operację plastyczną.

VII. Proszę zmienić wypowiedź pierwszej osoby odpowiadającej na pytanie zadane w son- dzie ulicznej, używając: a) 3 osoby liczby pojedynczej, b) 1 osoby liczby mnogiej[2].

a. Przez kilka lat **jeździłby** po świecie. ....

....

....

b. Przez kilka lat **jeździlibyśmy**. ....

....

....

---

[1] Ćwiczenie przygotowane przez moją studentkę Edytę Krasnowską.
[2] Ćwiczenie przygotowane przez moją studentkę Edytę Krasnowską.

VIII. Proszę ułożyć zdania według wzoru.

PRZYKŁAD:
Ja (r.m.) – mieć urlop, pojechać na wakacje – **Jeślibym miał urlop, to pojechałbym na wakacje.**

1. Ty (r.ż.) – skończyć medycynę, pracować w szpitalu

   ....

   ....

2. Wy (r. męskoosobowy) – wyjechać na studia do Warszawy, musieć kupić tam mieszkanie

   ....

   ....

3. On – mieć pieniądze, pojechać do Paryża

   ....

   ....

4. My (r. niemęskoosobowy) – przeczytać książkę, oddać ją do biblioteki

   ....

   ....

5. Oni – kupić dobre buty, chodzić po górach

   ....

   ....

IX. Proszę zmienić podane zdania według wzoru.

PRZYKŁAD:
Jeżeli będę mieć pieniądze, kupię dom. **Jeżeli miałbym pieniądze, kupiłbym dom.**

1. Jeżeli będzie ładna pogoda, pójdziemy (r. męskoosobowy) na spacer.

   ....

2. Jeżeli będę (r.ż.) zdrowa, pojadę w góry.

   ....

3. Jeżeli on mnie zaprosi, zjemy razem kolację.

   ....

4. Jeżeli Katarzyna dostanie tę pracę, będzie zarabiać bardzo dużo pieniędzy.

   ....

5. Jeżeli chcecie (r. męskoosobowy), możemy (r. męskoosobowy) zwiedzić Wawel.

   ....

6. Jeżeli Kuba zrobi prawo jazdy, kupi samochód.

   ....

7. Jeżeli one będą się uczyły, wyjadą za granicę.

   ....

8. Jeżeli moja kuzynka wyjdzie za mąż, przeprowadzi się do Wrocławia.

   ....

9. Jeżeli napiszę (r.m.) ten artykuł, wezmę urlop.

   ....

10. Jeżeli będziecie mieć (r. niemęskoosobowy) czas, pójdziemy (r. niemęskoosobowy) do kina.

    ....

X. Oto sytuacje, w których znajdują się różne osoby. Co zrobiłbyś / zrobiłabyś na ich miejscu? Proszę ułożyć zdania w trybie przypuszczającym i wykorzystać podane słowa.

PRZYKŁAD:
Kasia jest chora. (pójść, lekarz)
Jeśli byłbym / byłabym chory / chora, poszedłbym / poszłabym do lekarza.

1. Zosia chce pojechać do Hiszpanii, ale nie ma pieniędzy. (poszukać, praca)

   ....

2. Witek nie zdał egzaminu z gramatyki polskiej. (uczyć się, więcej)

   ....

3. Złodziej ukradł Monice torebkę. (pójść, policja)

   ....

4. Wiktor miał wypadek samochodowy. (zadzwonić, pomoc drogowa)

   ....

5. Krysia ma dużo czasu. (obejrzeć, film)

   ....

6. Patrycja zaprosiła gości. (ugotować, pyszna kolacja)

   ....

7. Marysia spotkała na ulicy bezdomnego psa. (wziąć, dom)

   ....

8. Marek wyjeżdża w lecie do Włoch. (kupić, okulary przeciwsłoneczne)

   ....

9. Damian spóźnił się na autobus. (pojechać, taksówka)

   ....

10. Wanda boi się latać samolotami. (jeździć, pociąg)

    ....

V.6. Ojej! Nic nie pamiętam
Ćwiczenia powtórzeniowe. Czasownik

I. Proszę uzupełnić tekst odpowiednimi formami czasowników w czasie teraźniejszym.

Marek świetnie (0) **gotuje** (gotować), jego siostra nie (1) .... (umieć) gotować, ale wspaniale (2) .... (piec) ciasta. Ich mama najlepiej na świecie (3) .... (smażyć) placki ziemniaczane, natomiast tata znakomicie (4) .... (dusić) mięso z warzywami. W ten sposób wszyscy coś (5) .... (umieć) i gdy robią uroczyste przyjęcie, każdy (6) .... (przyrządzać) swoją ulubioną potrawę. W naszej rodzinie tylko ja (7) .... (umieć) gotować i piec. Mój brat (8) .... (gotować) wyłącznie wodę, a siostra (9) .... (smażyć) tylko naleśniki. Na szczęście ja (10) .... (gotować) smaczne zupy, (11) .... (dusić) pyszne mięso, (12) .... (piec) znakomity sernik i wspaniale (13) .... (smażyć) ryby.

II. Proszę uzupełnić tekst odpowiednimi formami czasu teraźniejszego czasowników znajdujących się w ramce.

> **podchodzić, wychodzić (2x), przechodzić (2x), wjeżdżać, wchodzić (2x), dochodzić, iść, zjeżdżać, obchodzić, przychodzić (2x)**

W powszedni dzień zawsze (ja) (0) **wychodzę** z domu o ósmej. (1) .... przez ulicę, (2) .... przez most i (3) .... do teatru. Obok teatru skręcam w lewo i (4) .... ulicą Grodzką. Kiedy (5) .... do pracy, jest już prawie 8.30. (6) .... do budynku i windą (7) .... na trzecie piętro. (8) .... do swojego pokoju i pracuję. Czasami wstaję i (9) .... do półek z książkami. O 3 po południu kończę pracę i (10) .... ze swojego pokoju. (11) .... windą na dół i (12) .... z budynku. Po drodze do domu robię zakupy. Do domu (13) .... o 4.00. Zwykle (14) .... dom dookoła, żeby sprawdzić, czy nie włamali się do niego złodzieje.

III. Podane zdania proszę zmienić według wzoru.

PRZYKŁAD:
Musisz to zadanie napisać jeszcze raz. **Trzeba to zadanie napisać jeszcze raz.**

1. Musisz dodać szczyptę soli. ....
2. Musisz pokroić mięso. ....
3. Musisz posprzątać mieszkanie. ....
4. Musisz powiedzieć mu prawdę. ....
5. Musisz zadzwonić do babci. ....

Możesz to posolić. **Można to posolić.**

1. Możesz pójść na spacer. ....
2. Możesz pojechać w góry. ....
3. Możesz do niej zadzwonić. ....
4. Możesz obejrzeć ten film. ....
5. Możesz przeczytać tę książkę. ....

IV. Proszę zamienić czasownik „musieć" na czasownik „powinien", „powinna" w odpowiedniej formie.

PRZYKŁAD:
Muszę (r.m.) to zrobić jutro rano.
Powinienem to zrobić jutro rano.

1. Grzesiek musi przyjechać wieczorem.

    ....

2. Muszę (r.ż.) z nią o tym porozmawiać.

    ....

3. Musimy (r. męskoosobowy) to przeczytać na poniedziałek.

    ....

4. Oni muszą zrobić zakupy po południu.

    ....

5. Musicie (r. niemęskoosobowy) posprzątać swój pokój.

    ....

6. Marta musi leżeć w łóżku.

    ....

7. Jacek musi ubrać się ciepło.

....

8. Dziewczyny muszą odpocząć.

....

9. Musicie (r. męskoosobowy) odwiedzić babcię.

....

10. Musisz (r.m.) zatelefonować do Iwony.

....

V. Proszę wybrać odpowiedni czasownik.

PRZYKŁAD:
Ten film jest dobry. **Warto** zobaczyć ten film. (**warto**, wolno, musi)

a) Ta książka jest nudna. .... jej czytać. (nie warto, nie można, nie wolno)

b) Dzieci .... oglądać tego filmu. Jest dla nich zbyt brutalny. (nie mogą, nie trzeba, nie wypada)

c) Każdy człowiek .... jeść owoce. (warto, powinien, trzeba)

d) .... myć zęby po jedzeniu. (można, wolno, trzeba)

e) Jeżeli Marek chce zdać egzamin, ... się uczyć. (może, powinien, trzeba)

f) W zimie .... ubierać się ciepło. (można, wolno, należy)

VI. Proszę ułożyć zdania według wzoru. W każdym zdaniu powinien być czas przeszły.

PRZYKŁAD:
(Ja – r.m.) pracować na komputerze, zrobić dużo błędów.
Kiedy pracowałem na komputerze, zrobiłem dużo błędów.

1. (Ty – r.ż.) podróżować po Egipcie, kupić figurkę.

....

2. (On) wsiadać do tramwaju, zobaczyć Jolę.

....

3. (Ona) jechać pociągiem, poznać Piotrka.

....

4. (My – r. męskoosobowy) być w Krakowie, zwiedzić Wawel.

....

5. (Wy – r. niemęskoosobowy) iść ulicą, spotkać Marcina.

   ....

6. (Oni) być na wakacjach, nauczyć się hiszpańskiego.

   ....

7. (One) chodzić do szkoły, poznać wielu przyjaciół.

   ....

VII. Proszę wybrać odpowiedni czasownik i użyć go w poprawnej formie czasu przeszłego lub w formie bezokolicznika.

PRZYKŁAD:
Wczoraj (ja – r.ż.) **wypiłam** całe mleko (pić / wypić).

Wczoraj (ja – r.m.) (1) .... z moimi przyjaciółmi na wycieczkę do Łańcuta (jechać / pojechać). W Łańcucie jest piękny pałac, który chcieliśmy (2) .... (oglądać / obejrzeć). Z Krakowa do Łańcuta (my – r. męskoosobowy) (3) .... (jechać / pojechać) bardzo długo autobusem. W Łańcucie najpierw (my – r. męskoosobowy) (4) .... (jeść / zjeść) drugie śniadanie i (5) .... (pić / wypić) kawę. Potem (my – r. męsko-osobowy) (6) .... (iść / pójść) do parku. Tam (ja – r.m.) (7) .... (spotykać / spotkać) moją koleżankę ze studiów. (Ona) (8) .... (mówić / powie-dzieć) mi, że we wrześniu pojedzie do Meksyku, gdyż pół roku temu (ona) (9) .... (znać / poznać) bardzo przystojnego Meksykanina i on (10) .... (zapra-szać / zaprosić) ją do siebie. Potem przez prawie trzy godziny (my – r. męskoosobowy) (11) .... (zwiedzać / zwiedzić) pałac. Do Krakowa (ja – r.m.) (12) .... (wracać / wrócić) dopiero o dziesiątej wieczorem. Chciałem iść spać, ale (13) .... (dzwonić / zadzwonić) mój kolega i długo (on) (14) .... (opowiadać / opowie-dzieć) o swojej podróży na Sycylię.

VIII. W następujących zdaniach proszę wstawić odpowiednią formę czasownika podanego w nawiasie.

PRZYKŁAD:
Piotrek chciał, żeby Karolina **wyjechała** z nim do Anglii. (wyjechać)

1. Dziadek poprosił wnuka, żeby .... mu o szkole. (opowiedzieć)
2. Marta zachęcała nas, żebyśmy .... tę książkę.

   (przeczytać – r. męskoosobowy)

3. Nauczyciel powiedział, żeby uczniowie .... zadanie. (napisać)

4. Krzysiek mówił wam, żebyście .... chorą koleżankę.
   (odwiedzić – r. męskoosobowy)

5. Mama poprosiła sąsiadkę, żeby .... jej trochę soli. (pożyczyć)

6. Bartek poprosił Jacka, żeby .... mu matematykę. (wytłumaczyć)

7. Agnieszka mówiła mi, żebyś .... do niej we wtorek. (przyjechać – r.ż.)

8. Marek prosił mnie, żebym .... do niego pojutrze. (zadzwonić – r.m.)

9. Rodzice chcieli, żeby dzieci .... na obóz językowy. (pojechać)

10. Chciałam, żebyście .... ten projekt. (zrobić – r. niemęskoosobowy)

IX. Do podanych zdań proszę wstawić odpowiednią formę spójnika „żeby".

PRZYKŁAD:

Proszę cię, **żebyś** przyszedł do nas.

1. Chcę, ... Anna napisała list do koleżanki.

2. Proszę was, ... zrobili zadanie domowe.

3. Mama prosi nas, ... kupili chleb na kolację.

4. Ona prosi go, ... pomógł jej przetłumaczyć wiersz.

5. Zachęcam was, ... obejrzeli ten film.

6. Mówiłam wam, ... tu nie przychodzili.

7. Babcia prosiła nas, ... wysłali ten list.

8. Oni prosili cię, ... ich odwiedziła.

9. On powiedział mi, ... spotkała się z nim o piątej.

10. Prosiłam ich, ... zadzwonili do mnie jutro.

X. Proszę użyć poprawnej formy czasownika w nawiasie. Proszę uważać na czasy.

PRZYKŁAD:

Zwykle (ja) **jem** (jeść) śniadanie o siódmej. **Wczoraj** (ja – r.m.) **jadłem** (jeść) śniadanie o ósmej. **Jutro** (ja – r.m.) **będę jadł** (jeść) śniadanie o dziewiątej.

Mam na imię Monika. **Zwykle** (1) .... (budzić się) o wpół do dziewiątej. Potem (2) .... (wstawać) i (3) .... (myć) zęby. Mój brat (4) .... (jeść) śniadanie i (5) .... (pić) kawę. (My) (6) .... (iść) razem na uniwersytet, gdzie (7) .... (studiować).

Mam na imię Franek. **Wczoraj** (8) .... (być) w kinie i (9) .... (oglądać) ciekawy film. Kiedy (10) .... (iść) z kina do domu, (11) .... (spotkać) Dorotę. Dorota i ja (12) .... (pić) kawę w kawiarni i długo (13) .... (rozmawiać).

Mam na imię Zuzanna, a moja siostra ma na imię Anna. **Jutro** (my) (14) .... (uczyć się) języka polskiego, a potem (15) .... (czytać) książkę. **W przyszłą środę** (my) (16) .... (grać) w tenisa, a **w przyszłą niedzielę** (17) .... (słuchać) muzyki. **W przyszłym roku** (my) (18) .... (podróżować) do Afryki.

XI. Proszę uzupełnić zdania pod rysunkami odpowiednimi formami czasowników znajdujących się w ramce.

> **wychodzić / wyjść, wchodzić / wejść**, przechodzić / przejść, wjeżdżać / wjechać, wyjeżdżać / wyjechać, iść / pójść, przyjeżdżać / przyjechać, przychodzić / przyjść

PRZYKŁAD:

1.

a) Co zrobi pan Kowalski?

   Pan Kowalski **wejdzie** do domu.

b) Co robi pan Kowalski?

   Pan Kowalski **wchodzi** do domu.

c) Co zrobił pan Kowalski?

   Pan Kowalski **wszedł** do domu.

2.

a) Co zrobi Zosia?

Zosia .... z domu.

b) Co robi Zosia?

Zosia .... z domu.

c) Co zrobiła Zosia?

Zosia .... z domu.

3.

a) Co zrobi Marek?

.... przez ulicę.

b) Co robi Marek?

Marek .... przez ulicę.

c) Co zrobił Marek?

.... przez ulicę.

4.

a) Co zrobi Piotr?

Piotr .... do parku na spotkanie.

b) Co robi Piotr?

.... do parku na spotkanie.

c) Co zrobił Piotr?

.... do parku na spotkanie.

5.

a) Co zrobi Franek?

Franek .... do szkoły.

b) Co robi Franek?

.... do szkoły.

c) Co zrobił Franek?

.... do szkoły.

6.

  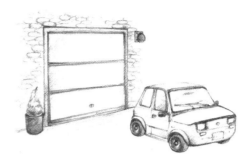

a) Co zrobi pan Karol?

Pan Karol .... do garażu.

b) Co robi pan Karol?

....do garażu.

c) Co zrobił pan Karol?

....do garażu.

7.

a) Co zrobi wujek Marcin?

.... do rodziny.

b) Co robi wujek Marcin?

Wujek Marcin .... do rodziny.

c) Co zrobił wujek Marcin?

.... do rodziny.

XII. Proszę uzupełnić tekst odpowiednimi formami czasowników znajdujących się w ramce.

> **dojść, wejść, wyjść, przejść, obejść, przyjść**

PRZYKŁAD:
Wczoraj Monika **wyszła** z domu o ósmej.

1. (Ja) .... do ciebie jutro wieczorem.
2. Gdy (my – r. męskoosobowy) .... do teatru, skręciliśmy w lewo.
3. On wczoraj .... swój dom dookoła.
4. Kiedy (oni) .... do domu, pies powitał ich bardzo radośnie.
5. (Ona) .... przez ulicę i popatrzyła na zegarek.

XIII. Proszę uzupełnić zdania odpowiednimi formami czasowników znajdujących się w ramce.

> **iść, chodzić, jechać, jeździć, przyjść, pójść, wyjść, przyjechać,**
> **pojechać, wyjechać**

PRZYKŁAD:
Wczoraj Sebastian **wyjechał** z Krakowa o piątej, a **przyjechał** do Warszawy o ósmej.

1. Magda przynajmniej raz w tygodniu .... do kina.
2. Przemek .... z Polski cztery miesiące temu.
3. (Ja) codziennie .... do pracy autobusem.
4. Tydzień temu (my – r. męskoosobowy) .... z Niemiec do Polski aż 24 godziny.
5. Jutro Piotrek .... do domu bardzo późno.
6. Dokąd (ty) ....? – zapytał mnie Paweł na ulicy.
7. Za tydzień Marzena .... pierwszy raz do nowej pracy.
8. Państwo Nowakowie .... wczoraj na urlop na Słowację.
9. W ostatnią niedzielę (oni) .... na długi spacer.
10. Niestety, nie ma Karola – .... z domu, wróci za dwie godziny.

XIV. Proszę uzupełnić zdania odpowiednimi formami czasowników znajdujących się w ramce.

> **wychodzić, pochodzić, dojść, wyjeżdżać, przylatywać, wypłynąć, odlatywać, objechać, przyjść, wejść**

PRZYKŁAD:
Jutro moja ciocia **przylatuje** samolotem z Nowego Jorku.

1. Z pracy zawsze (ja) .... o trzeciej.
2. Wczoraj (my – r. niemęskoosobowy) .... do domu dopiero o ósmej.
3. Trzy razy (ja – r.m.) .... samochodem dookoła to osiedle, ale nie znalazłam tego adresu.
4. Samoloty do Paryża zwykle .... z tego lotniska o piątej.
5. (Ja) w przyszły wtorek .... z Polski na trzy miesiące.
6. (Oni) .... z Ameryki dwa dni temu statkiem.
7. Czasami lubię trochę .... po sklepach.
8. Na wiosnę wiele ptaków .... do Polski z Afryki.
9. Jacek .... do pokoju i otworzył okno.
10. (My – r. męskoosobowy) .... do muzeum i skręciliśmy w prawo.

VI

MÓWIĘ JUŻ LEPIEJ!
STOPNIOWANIE PRZYSŁÓWKÓW

I. Proszę wybrać z ramki odpowiednie wyrażenie i dopasować je do podanych zdań.

> **zimno mi**, nudno mi, słabo mi, przyjemnie mi, wygodnie mi, wesoło mi,
> niedobrze mi, duszno mi, gorąco mi, smutno mi

0. Wychodzisz na ulicę. Jest zima, pada śnieg i jest duży mróz. Co powiesz?

   Zimno mi.

1. Jest lato. Upał. Słońce świeci, na niebie ani jednej chmurki. Co powiesz? ....

   ....

2. Jesteś na bardzo nudnym przyjęciu. Nie znasz nikogo. Co powiesz? ....

3. Twój chłopak / twoja dziewczyna wyjechał / wyjechała na studia do innego miasta. Co

   powiesz? ....

4. W niewielkiej sali jest bardzo gorąco. Brakuje powietrza. Czujesz, że nie masz czym

   oddychać. Co powiesz? ....

5. Właśnie zaczęły się wakacje. Przed tobą dwa miesiące odpoczynku. Bardzo się cieszysz.

   Co powiesz? ....

6. Kręci ci się w głowie. Czujesz, że możesz zemdleć. Co powiesz? ....

7. Kupiłeś / kupiłaś bardzo wygodną i miękką sofę. Siadasz na niej i mówisz: ....

   ....

8. Zjadłeś / zjadłaś coś nieświeżego. Masz mdłości. Co powiesz? ....

9. Na imprezie u kolegi panuje bardzo miła atmosfera. Co powiesz? ....

II. Proszę uzupełnić poniższe zdania przysłówkami w stopniu wyższym i najwyższym.

PRZYKŁAD:
Jeden samolot leci **wysoko**, drugi **wyżej**, trzeci **najwyżej**.

Robert mieszka **blisko** centrum, Patrycja mieszka .... centrum, Dominik mieszka

.... centrum.

Karol ma **dużo** czasu, Monika ma .... czasu, Jurek ma .... czasu.

Witek ma **mało** pieniędzy, Ewa ma .... pieniędzy, Jacek ma .... pieniędzy.

Piotrek pracuje **ciężko**, Paweł pracuje ...., Olek pracuje ....

Kinga czuje się źle, Marysia czuje się ...., Franek czuje się ....

Adam mówi po polsku **dobrze**, Zosia mówi po polsku ...., Barbara mówi po polsku

....

Karolina wygląda ładnie, Anna wygląda ...., Paulina wygląda ....

Konrad gra **głośno**, Kacper gra, ..., Kuba gra ....

W Niemczech jest **zimno**, w Polsce jest ...., w Szwecji jest ....

We Włoszech jest **ciepło**, w Grecji jest ...., w Hiszpanii jest ....

III. Proszę uzupełnić tekst słowami z ramki.

> **daleko**, blado, szczęśliwie, życzliwiej, najgoręcej, szybciej, skromniej, więcej,
> mniej, najlepiej (2x), czyściej, długo, ładniej, pięknie

W małej wsi, która była bardzo (0) **daleko** od wielkich miast, żyła biedna dziewczyna. Żyła

(1) .... niż inni, jadła (2) ...., jednak w swoim domku miała

(3) .... i (4) .... Zachowywała się też (5) ....

i pracowała (6) .... niż inni mieszkańcy. Znała ponadto różne zioła i (7) ....

ze wszystkich leczyła ludzi. Pewnego dnia zobaczyła, że jakiś przystojny mężczyzna jedzie na

koniu. Jechał jednak (8) ...., niż powinien, i nagle spadł z konia. Leżał na ziemi

i wyglądał bardzo (9) ...., ale (10) .... Dziewczyna zabrała go do swo-

jego domu i leczyła. Mężczyzna, który był księciem, zakochał się w dziewczynie. Kochał ją

(11) .... na świecie. W końcu postanowili się pobrać i żyli (12) ....

.... i (13) .... (14) ...., jak mogli, pomagali też ludziom.

IV. Proszę uzupełnić tekst słowami z ramki.

najszybciej (2x), lepiej, zimniej, mniej, smutniej, krócej, więcej, szybciej,
gorzej, bardziej

Zosia biegała (0) **najszybciej** z całej klasy. W ostatnim czasie biegała nawet (1) ....

niż niektórzy chłopcy. Dlatego postanowiła wystartować w zawodach lekkoatletycznych

dla całego województwa. Ćwiczyła (2) .... niż do tej pory, niestety miała też

(3) .... czasu na naukę. Dlatego ostatnie testy napisała znacznie (4) ....

Zosia martwiła się coraz (5) .... i było jej coraz (6) .... (7) ....

rozmawiała też przez telefon i oglądała telewizję, nie miała nawet czasu czytać książek.

Tego dnia, gdy były zawody, było (8) .... niż dotąd i Zosia z ponurą miną i w fatal-

nym nastroju pojechała na duży stadion. Gdy Zosia zaczęła biec, poczuła się (9) ....

niż kiedykolwiek i okazało się, że do mety przybiegła (10) .... ze wszystkich

uczestników.

V. Proszę spojrzeć na rysunek i uzupełnić podane zdania, używając przysłówków podanych w ramce w stopniu wyższym i najwyższym.

wysoko, nisko, blisko, daleko

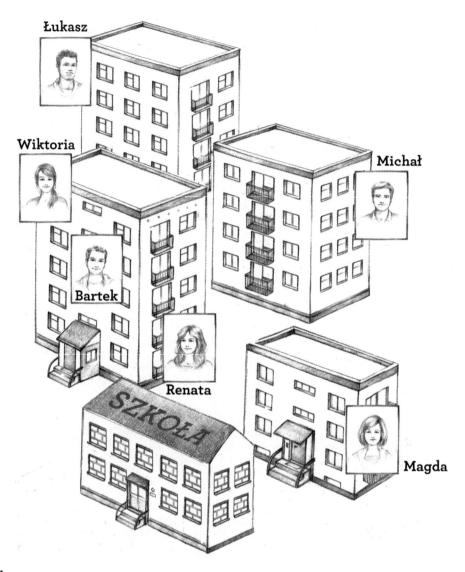

PRZYKŁAD:
Najbliżej szkoły mieszka Magda.

1. .... od szkoły mieszka Łukasz.

2. Michał mieszka .... szkoły niż Łukasz.

3. Michał mieszka .... od szkoły niż Magda.

4. .... ze wszystkich mieszka Wiktoria.

5. .... ze wszystkich mieszka Renata.

6. Bartek mieszka .... niż Renata.

7. Bartek mieszka .... niż Wiktoria.

VI. Proszę uzupełnić zdania przysłówkami w stopniu najwyższym.

PRZYKŁAD:
Najwyżej w Polsce leży wieś Ząb (1013 m n.p.m.). (wysoko)

1. Miasto Wyśmierzyce w Polsce ma .... mieszkańców, tylko 945 osób. (mało)
2. .... z polskich królów żył Stanisław Leszczyński – 88 lat. (długo)
3. .... polscy królowie mieli na imię Władysław. (często)
4. .... żon (4) mieli polscy królowie: Bolesław Chrobry, Kazimierz Wielki, Władysław Jagiełło. (dużo)
5. .... noce trwają w Polsce w czerwcu. (krótko)
6. .... biega gepard. (szybko)
7. .... chodzi żółw. (wolno)
8. .... skaczą kangury. (daleko)
9. .... zbudowano metro w Londynie. (dawno)
10. .... w Polsce jest położona miejscowość Raczki Elbląskie (1,8 m p.p.m.). (nisko)

VII. Proszę uzupełnić następujące zdania poprawnymi formami.

PRZYKŁAD:
Polska ma **mniej** mieszkańców niż Francja. (mało)

1. Gepard biega .... niż lew. (szybko)
2. Kangur skacze .... niż kot. (daleko)
3. W Norwegii jest .... niż w Polsce. (zimno)
4. W Grecji jest .... niż w Polsce. (ciepło)
5. .... ludzi mówi po hiszpańsku niż po polsku. (dużo)
6. Zakopane leży .... Krakowa niż Warszawa. (blisko)
7. Karol wygląda .... niż Jurek. (staro)
8. Elżbieta wygląda .... niż Ewa. (młodo)
9. .... jest podróżować samochodem, gdy jest bardzo ślisko. (trudno)
10. .... jest pracować za granicą, gdy znamy języki obce. (łatwo)

VIII. Proszę uzupełnić podane zdania odpowiednimi formami.

PRZYKŁAD:
Ala ubiera się **bardziej elegancko** niż Hania. (elegancko)

1. Paweł pracuje .... niż Konrad. (twórczo)

2. Zosia gotuje .... niż Patrycja. (tłusto)

3. Kraków wygląda .... niż Wieliczka. (kolorowo)

4. Dzisiaj jest .... niż wczoraj. (deszczowo)

5. Marcin opowiada .... niż Marek. (interesująco)

6. .... jest mieszkać w hotelu niż w namiocie. (komfortowo)

7. Kowalscy mają urządzony dom .... niż Nowakowie. (luksusowo)

8. Dzisiaj jest .... niż w środę. (ślisko)

9. To lekarstwo smakuje .... niż tamten syrop. (gorzko)

10. Na tej sofie siedzi się .... niż na tamtym fotelu. (miękko)

IX. Proszę uzupełnić tekst poprawnymi formami w stopniu wyższym.

Jurek obudził się (0) **później** (późno) niż zwykle, ale czuł się (1) .... (źle) niż wczoraj. (2) .... (bardzo) bolała go głowa i było mu na przemian zimno i gorąco. (3) .... (długo) niż zwykle leżał w łóżku. (4) .... (często) niż zazwyczaj pił herbatę z sokiem malinowym, ale to nic nie pomagało. Postanowił ubrać się (5) .... (ciepło) niż wczoraj i pójść do lekarza. W poczekalni u lekarza czekał (6) .... (długo) niż ostatnim razem, ponieważ było (7) .... (dużo) pacjentów. Wszyscy wyglądali jednak (8) .... (zdrowo) niż Jurek.

X. Proszę uzupełnić tekst poprawnymi formami w stopniu wyższym.

Wtorek zapowiadał się dla Zuzi (0) **lepiej** (dobrze) niż poniedziałek. Obudziła się (1) .... (wcześnie) niż zazwyczaj i było jej też (2) .... (wesoło). Potem zadzwoniła do Krzyśka i rozmawiali (3) .... (długo) niż zwykle i śmiali się też (4) .... (dużo). Na dworze było (5) .... (słonecznie) niż ostatnio, a ptaki (6) .... (głośno) śpiewały. Słońce było (7) .... (wysoko) na niebie, gdyż zaczynało się lato. Zuzia czuła się też (8) .... (lekko), gdyż ostatnio jadła (9) .... (mało), natomiast (10) .... (intensywnie) ćwiczyła.

VII

ODPOCZYWAM PRZY DOMU
POD DRZEWEM NA TRAWIE
PRZYIMEK

I. Proszę wybrać poprawne wyrażenie przyimkowe.

PRZYKŁAD:
Moja ciocia mieszka **w górach** / w górze / na górach.

1. Chcę mieć dom nad morze / <u>nad morzem</u> / na morzu.
2. Moi dziadkowie mieszkają na wieś / ze wsi / <u>na wsi</u>.
3. Ania studiuje <u>na politechnice</u> / na politechnikę / do politechniki.
4. Może w przyszłym roku wyruszymy w rejs <u>dookoła świata</u> / na świecie / po świecie.
5. Stuart zostanie do Polski / <u>w Polsce</u> / z Polski jeszcze dwa lata.
6. Nie chcę wyjeżdżać <u>za granicę</u> / za granicą / na granicy.
7. Kowalscy przeprowadzają się za Warszawą / po Warszawie / <u>do Warszawy</u>.
8. Przyjdziesz dziś ode mnie / <u>do mnie</u> / przy mnie?
9. Piję kawę dla cukru / oprócz cukru / <u>bez cukru</u>.
10. Bożena długo rozmawiała na telefon / <u>przez telefon</u> / do telefonu.

II. Proszę uzupełnić tabelkę zgodnie z przykładem.

Dokąd ?	Gdzie?	Skąd?
(0) Marysia idzie na dworzec.	Marysia jest na dworcu.	Marysia wraca z dworca.
(1) Piotrek jedzie za granicę.	Piotrek jest za granicą	Piotrek wraca zza granicy
(2) Zosia jedzie w góry	Zosia jest w górach.	Zosia wraca z gór
(3) Kowalscy jadą nad morze	Kowalscy są nad morzem	Kowalscy wracają znad morza.
(4) Jedziemy nad ocean.	Jesteśmy nad oceanem	Wracamy znad oceanu
(5) Kinga idzie do Babci	Kinga jest u babci	Kinga wraca od babci.

(6) Idziecie na plażę.	_na plaży_	_Wracacie z plaży_
(7) _Idziesz na basen_	Jesteś na basenie.	_Wracasz z basenu_
(8) _Ala idzie na wieś_	_Ala jest na wsi_	Ala wraca ze wsi.
(9) Dziewczyny idą na imieniny.	_Dziewczyny są na imieninach_	_Dziewczyny wracają z imienin_
(10) _Idziemy na obiad_	Jesteśmy na obiedzie.	_Wracamy z obiadu_
(11) Idę do brata.	_Jestem u brata_	_Wracam od brata_
(12) _Studenci idą do teatru_	Studenci są w teatrze.	_Studenci wracają z teatru_

III. Proszę napisać, gdzie znajdują się podane obiekty. Proszę użyć właściwego przyimka z ramki i odpowiedniej formy rzeczownika.

nad, pod, na, przy, wzdłuż, wokół, naprzeciw, przed, obok, między, za

PRZYKŁAD:

Gdzie znajduje się szkoła językowa? Szkoła językowa znajduje się **nad kawiarnią**.

1. Gdzie znajduje się hotel? *Hotel znajduje się między księgarnią i szkołą językową*
2. Gdzie znajduje się apteka? *Apteka znajduje się pod księgarnią, obok hotelu*
3. Gdzie znajduje się księgarnia? *księgarnia jest obok hotelu, nad apteką*
4. Gdzie znajduje się kawiarnia? *kawiarnia jest obok hotelu, pod szkołą językową*
5. Gdzie znajduje się przystanek autobusowy? *przystanek znajduje się przy aptece*
6. Gdzie znajduje się samochód? *samochód znajduje się przed hotelem*
7. Gdzie jedzie tramwaj? *tramwaj jedzie wzdłuż ulicy*
8. Gdzie są drzewa? *drzewa są wokół placu*
9. Gdzie znajduje się fontanna? *fontanna jest na placu*
10. Gdzie znajduje się kościół? *kościół znajduje się naprzeciw księgarni*

za sklepami

Proszę wpisać przyimki do tabelki.

Dopełniacz *Gen.*	Narzędnik *Instr.*	Miejscownik *Loc*
wzdłuż wokół naprzeciw obok	nad pod przed między za	na przy

IV. Proszę uzupełnić zdania przyimkiem „do" lub „na".

PRZYKŁAD:

Każdego roku chodzę **na** ten festiwal.

1. Jeżeli chcesz iść *na* górę, musisz iść tymi schodami.
2. *Na* dół musisz iść bardzo powoli.
3. Pójdziemy teraz *do* parku.
4. Czy idziecie *na* przystanek?
5. Koniecznie napisz *do* niego!
6. Trzeba iść *do* końca ulicy.

7. Wybierzecie się z nami ...do... teatru?

8. Bardzo lubimy chodzić ...do... restauracji.

9. Marek idzie teraz ...na.. obiad, bo jest bardzo głodny.

10. Zapraszam cię ...na.. kawę!

V. Proszę uzupełnić zdania przyimkiem „na" lub „w".

PRZYKŁAD:

Biblioteka jest **na** piętrze.

1. ...Na.. dole jest salon, a ...na.. górze sypialnie.

2. ...Na.. jeziorze było wiele żaglówek.

3. Notes leżał ...w.... szufladzie.

4. Mój syn śpi ...na... tapczanie.

5. Kot siedział ...na.. krześle.

6. Zjedliśmy coś ...w... mieście.

7. ...Na.. ścianie wisiało lustro.

8. ...Na.. dachu stał kominiarz.

9. ...W.... autobusie był tłok.

10. ...Na.. targu są świeże owoce i warzywa.

tłok – crowd

VI. Proszę uzupełnić zdania przyimkiem „przy" lub „obok".

PRZYKŁAD:

Paweł stał **przy** drzwiach.

1. Dzieci siedziały ...przy.. stole.

2. Pantofle stały ...przy.. łóżku.

3. ...Obok.. Magdy mieszka Małgosia.

4. ...Przy.. oknie było biurko.

5. Musisz skręcić ...obok.. sklepu.

6. Możesz usiąść ...przy.. nim.

7. Kościół jest tuż ...obok.. teatru.

8. ...Przy.. szkole jest boisko.

9. Parking jest ...obok.. szpitala.

10. Czy mogę usiąść ...obok.. ciebie?

VII. Proszę wybrać odpowiedni przyimek.

PRZYKŁAD:
Wczoraj byłem **na** konferencji.
a) **na**   b) u   c) do

1. Już długo nie mieliśmy .... nich e-maila.

   a) dla   b) od   c) z

2. .... wtorek muszę nauczyć się gramatyki, ponieważ mam test.

   a) na   b) za   c) przez

3. W piątek Magda ma egzamin .... matematyki.

   a) w   b) dla   c) z

4. Renata uczy się .... egzaminu.

   a) do   b) dla   c) przez

5. Dziś wieczorem idziemy .... urodziny kolegi.

   a) na   b) dla   c) do

6. W sierpniu chcemy pojechać .... morze.

   a) nad   b) na   c) do

7. Sofa stała .... ścianie.

   a) na   b) obok   c) przy

8. .... trzy tygodnie będę na urlopie.

   a) podczas b) na   c) przez

9. W czerwcu pan Józef idzie .... emeryturę.

   a) w   b) do   c) na

10. Niestety nie kupiłam biletów .... ten koncert.

    a) do   b) na   c) w

VIII. Proszę wybrać odpowiedni przyimek.

PRZYKŁAD:
Oprócz mnie do kina poszła moja siostra.
a) **oprócz**   b) u   c) do

1. .... siostry postanowiłam kupić perfumy.

   a) dla   b) na   c) przez

2. Deszcz padał .... cały lipiec.

   a) na   b) za   c) przez

3. Marek zdecydował, że pojedzie .... wycieczkę rowerową.

   a) w   b) na   c) do

4. Ludwik przepada .... lodami.

   a) nad   b) dla   c) za

5. Lubię wszystkie owoce .... melonów.

   a) oprócz   b) dla   c) bez

6. Robert pojechał do Australii .... pół roku.

   a) przez   b) na   c) za

7. Wczoraj dostałam .... niego płytę.

   a) przez   b) od   c) z

8. Oni wezmą ślub .... dwa tygodnie.

   a) za   b) na   c) przez

9. .... filmu wiele osób wyszło.

   a) podczas b) przez   c) na

10. Nie chcę jechać na wakacje .... niego.

    a) bez   b) z   c) od

IX. Proszę uzupełnić tekst odpowiednimi przyimkami: o, pó, do, na (3x), z, przez, za, w / we, przed.

Julia bardzo się śpieszyła) Dzisiaj miała wyjechać (0) **na** wakacje, (1) _za_ granicę, (2) _do_ Francji. (3) _we_ Francji chciała pracować (4) _przez_ dwa miesiące. Potem chciała podróżować (5) _po_ całej Francji. Julia musiała być (6) _na_ lotnisku godzinę (7) _przed_ odlotem samolotu. Julia wyszła (8) _z_ domu i chwilę czekała (9) _na_ taksówkę. Punktualnie (10) _o_ dziesiątej była (11) _na_ miejscu.

X. Proszę uzupełnić następujący tekst odpowiednimi przyimkami: obok, na (2x), o, z (2x) przy, do (2x), po.

Tego dnia Mikołaj postanowił uczyć się (0) **przez** cały dzień. Musiał przygotować się (1) _do_ egzaminu (2) _z_ literatury. Pięć (3) _po_ ósmej wyszedł (4) _z_ domu i poszedł (5) _na_ przystanek. (6) _na_ przystanku było dużo ludzi. Punktualnie (7) _o_ ósmej trzydzieści przyjechał tramwaj. Mikołaj wsiadł (8) _do_ tramwaju i stanął (9) _przy_ drzwiach. Nagle zauważył, że (10) _obok_ niego stoi bardzo ładna dziewczyna)

Jaki był dalszy ciąg historii o Mikołaju i ładnej dziewczynie? Proszę dokończyć opowiadanie, używając około 100 słów.

....

....

....

....

....

....

....

....

....

....

VIII

TO JUŻ WIESZ!
ĆWICZENIA GRAMATYCZNE I NIE TYLKO

I. Proszę wybrać odpowiednie do rysunku zdanie.

PRZYKŁAD:

0. On wsiada do autobusu.
    On wysiada z autobusu.
    On jedzie autobusem.

1. On wsiada do tramwaju.
    On wysiada z tramwaju.
    On jedzie tramwajem.

2. Ona wsiada do metra.
    Ona jedzie metrem.
    Ona wysiada z metra.

3. Pociąg przyjechał.
    Pociąg odjechał.
    Pociąg jedzie.

4. Pociąg przyjechał.
    Pociąg odjechał.
    Pociąg jedzie.

II. Proszę napisać, kto jest w jakiej relacji z kim.

PRZYKŁAD:

Franciszek dla Sebastiana to **dziadek**.

1. Helena dla Franciszka to ....

2. Stanisław dla Sebastiana to ....

3. Kazimierz dla Stanisława to ....

4. Irena dla Sebastiana to ....

5. Teresa dla Franciszka to ....

6. Helena dla Teresy to ....

7. Wojciech dla Teresy to ....

8. Maria dla Sebastiana to ....

9. Sebastian dla Franciszka to ....

10. Zosia dla Sebastiana to ....

11. Stanisław dla Bożeny to ....

12. Leopold dla Stanisława to ....

III. Proszę przeczytać definicję i wybrać odpowiednie słowo.

PRZYKŁAD:
Matka żony lub męża to: synowa, **teściowa**, szwagierka.

1. Mąż córki to: zięć, bratanek, stryj.
2. Córka siostry to: bratanica, kuzynka, siostrzenica.
3. Syn brata to: bratanek, siostrzeniec, kuzyn.
4. Żona syna to: bratowa, synowa, bratanica.
5. Brat ojca to: stryj, teść, bratanek.
6. Żona brata to: bratanica, bratowa, siostrzenica.
7. Mąż siostry to: szwagier, siostrzeniec, bratanek.
8. Ojciec żony lub męża to: zięć, teść, wujek.

IV. Z podanych słów proszę ułożyć poprawne zdania w czasie teraźniejszym.

PRZYKŁAD:
Oni, słuchać, muzyka
Oni słuchają muzyki.

1. Katarzyna, czytać, książka

   ....

2. Czy, (wy), pić, herbata

   ....

3. (My), jeść, kurczak

   ....

4. Oni, mieć, mały, dziecko

   ....

5. (Ja), nie, lubić, chodzić, do, opera

   ....

V. Proszę uzupełnić tekst wyrazami z ramki.

> **chmury, stopni, mgła, deszcz, wiał, pogoda, tęcza, zimno, świeciło, gwiazdy**

Małgosia wyjrzała przez okno, padał **deszcz**. Wszędzie było mokro i ponuro. Na niebie były ciemne (1) ...., (2) .... silny wiatr. Około południa (3) .... zmieniła się. Na niebie (4) .... słońce, a na horyzoncie była kolorowa (5) .... Niestety, wieczorem znów było brzydko. Temperatura spadła, więc było (6) ...., tylko 5 (7) .... Była też gęsta (8) .... i nikt nic nie mógł zobaczyć. Na niebie nie świeciły (9) ....

VI. Proszę napisać co go / ją boli.

PRZYKŁAD:

0. (serce – on)

*Boli **go** serce.*

0. (ręka – Kasia)

***Kasię** boli ręka.*

1. głowa – ja

2. ucho – ty

3. oczy – Karol

4. palec – Ania

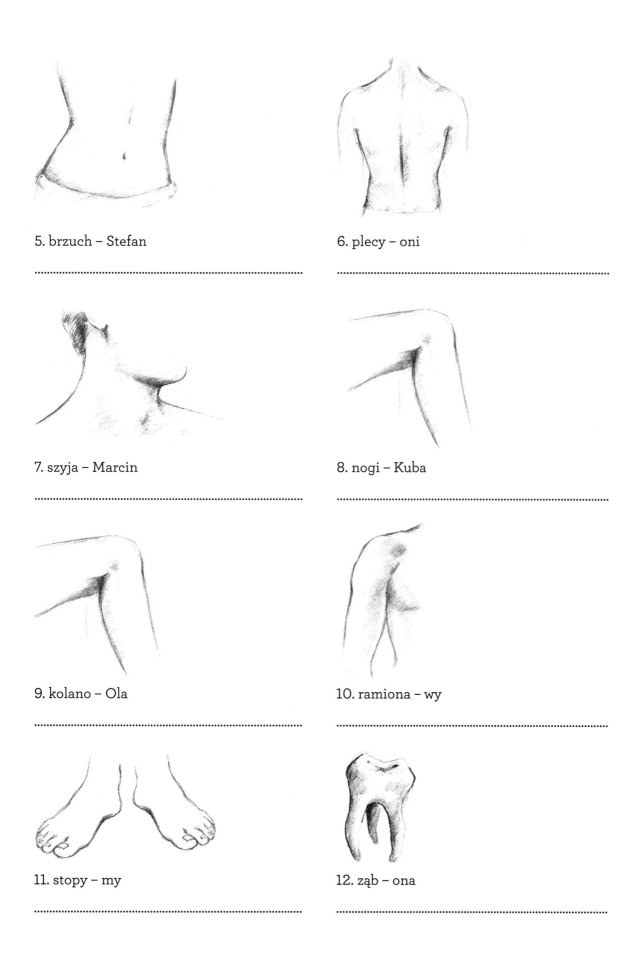

5. brzuch – Stefan

....

6. plecy – oni

....

7. szyja – Marcin

....

8. nogi – Kuba

....

9. kolano – Ola

....

10. ramiona – wy

....

11. stopy – my

....

12. ząb – ona

....

VII. Proszę wybrać właściwy wyraz.

PRZYKŁAD:
Wszystkie / każda / całe koleżanki chciałyby pójść na tę imprezę.

1. Przez wszystkie / każdy / cały dzień padał deszcz.
2. Marek przychodził do mnie całego / każdego / wszystkiego dnia.
3. Wszyscy / cały / każdy student musiał napisać test.
4. Każdy / wszyscy / cały ludzie chcą być szczęśliwi.
5. Całe / każdy / wszystko mnie boli.
6. Wszystkie / całe / każde koty lubią ciepło.
7. Trzeba się cieszyć całą / każdą / wszystkie chwilą.
8. Musimy posprzątać każdy / wszystko / cały bałagan.
9. Wszystkie / całe / każde dzieci lubią się bawić.
10. Wszystkie / każde / całe dziecko chce być ze swoją mamą.

VIII. Proszę wybrać poprawne słowo.

PRZYKŁAD:
Nie można dotykać **cudzych** / obcych rzeczy.

1. To są twoje książki czy obce / cudze?
2. Mój brat wyjechał do cudzego / obcego kraju i czuł się tam bardzo obco / cudzo.
3. Krystyna zna pięć języków obcych / cudzych.
4. Nie wolno kopiować obcych / cudzych tekstów
5. Ten obcy / cudzy człowiek prosił mnie o pieniądze.

IX. Proszę uzupełnić tekst słowami z ramki.

> pochodziła, obcokrajowców, **obcych**, ojczyźnie, obywatelstwo, ojczystym, obywatelką, za granicę

Znam pięć języków (0) **obcych** i bardzo dużo podróżuję (1) .... Oczywiście najlepiej czuję się w swojej (2) ...., jednak lubię poznawać (3) ...., inne kultury i tradycje. Urodziłam się w rodzinie mieszanej: mama jest Polką, a tata Włochem. Mam więc podwójne (4) .... Nie wiem do końca, który język jest moim językiem (5) .... – włoski czy polski, obydwa znam biegle. Moja babcia od strony taty (6) .... z Francji, także tam mam daleką rodzinę. Może dlatego czuję się (7) .... świata.

X. Proszę wybrać właściwe słowo.

PRZYKŁAD:
Wawel **zwiedzałem** / odwiedzałem bardzo długo.

1. Dziadków zwiedzamy / odwiedzamy co miesiąc.
2. Chciałabym odwiedzić / zwiedzić to muzeum.
3. W Paryżu jest wiele miejsc do zwiedzenia / odwiedzenia.
4. W każdą niedzielę odwiedzam / zwiedzam moją przyjaciółkę.
5. Oni chcieliby odwiedzić / zwiedzić piramidy.
6. Już dawno mnie nie zwiedzałeś / odwiedzałeś.
7. W przyszłym roku chcemy zwiedzić / odwiedzić Londyn.
8. Zwiedzałam / odwiedzałam go wiele razy.
9. On bardzo długo odwiedza / zwiedza tę wystawę.
10. Czy chcielibyście ich odwiedzić / zwiedzić?

XI. Proszę wybrać właściwe słowo.

PRZYKŁAD:
Kasia dzisiaj wraca z Egiptu, ale samolot jeszcze nie **przyleciał** / odleciał.

1. Samolot z Madrytu do Warszawy ląduje / leci około trzech godzin.
2. Popatrz, właśnie wystartował / wylądował samolot do Paryża.
3. Marysia przyleciała / odleciała wczoraj do Warszawy. Spotkałem ją na Krakowskim Przedmieściu.
4. Czy lubisz jeździć / latać samolotami?
5. Kiedy wreszcie odleci / przyleci ten samolot? Czekamy tu już na Tomka godzinę.
6. Startuje / ląduje właśnie samolot z Londynu.
7. Na pokładzie / podłodze tego samolotu jest 150 pasażerów.

XII. Proszę poprawnie połączyć fragmenty zdań.

1. Kasia   a) ożenił się z Kasią.
2. Oni   b) wyszła za mąż za Marka.
3. Marek   c) pobrali się z miłości.
4. Kasia z Markiem urządzali   d) ślub w katedrze na Wawelu.
5. Młoda para wzięła   e) wesele w pięknym dworku pod Krakowem.
6. Państwo młodzi spędzili   f) miesiąc miodowy w Hiszpanii.

XIII. Proszę uzupełnić tekst słowami z ramki.

wyszła za mąż, pobrali się (3×), mężem, żona, ożenił się, wesele, panna młoda, uroczystość, pan młody

Wczoraj moja najlepsza przyjaciółka **wyszła za mąż**. Jej (1) .... jest mój dobry kolega ze studiów. (2) .... w kościele Mariackim. (3) .... była wspaniała. Miesiąc temu (4) .... mój brat. Jego (5) .... jest śliczną i mądrą dziewczyną. Natomiast pół roku temu (6) .... moi przyjaciele: Kasia i Marek. (7) .... trwało dwa dni. Wszyscy świetnie się bawili. (8) .... miała piękną suknię, a (9) .... garnitur z najnowszej kolekcji. Kasia i Marek (10) .... z wielkiej miłości.

XIV. Proszę uzupełnić tekst słowami z ramki.

rozstał się, wróci (2×), zerwała, zapomnieć, kocha, zechce, obiecał, zrobi, nadzieję, zapomni

Karol był w fatalnym nastroju. Trzy dni temu (0) **rozstał się** ze swoją dziewczyną – Wiktorią. Niestety Wiktoria (1) .... z nim, bo spotkała innego chłopaka – Tomka. Wiktoria powiedziała, że (2) .... tylko Tomka, a Tomek (3) .... jej miłość do końca życia. Karol myślał, że Wiktoria może do niego (4) ...., ale teraz po trzech dniach stracił zupełnie (5) .... Karol był pewny, że nigdy nie (6) .... o Wiktorii. Telefonował potem do Wiktorii i mówił, że (7) .... wszystko, co ona (8) .... Jednak Wiktoria powiedziała, że Karol musi o niej (9) ...., ponieważ ona do Karola już nie (10) ....

XV. Proszę uzupełnić tekst słowami z ramki.

wolisz, lubię (2×), uwielbiam (2×), nie znoszę (2×), lubisz

– Co *(ty)* (0) **wolisz**, teatr czy film? – zapytała Lucyna Bartosza.
– *(Ja)* (1) .... teatr, ale film po prostu (2) .... – odpowiedział z rozmarzeniem Bartosz i przypomniał sobie wszystkie swoje ulubione filmy, które mógłby oglądać bez końca.

– A opera, co sądzisz o operze? – dopytywała się Lucyna.

– *(Ja)* (3) .... opery. Może byłem trzy razy na operze.

– A ja (4) .... operę – powiedziała Lucyna. – To coś, bez czego nie mogę żyć. Słucham fragmentów swoich ulubionych oper codziennie.

– A do kina *(ty)* (5) .... chodzić? – zapytał z kolei Bartosz.

– O tak, *(ja)* (6) .... Ale *(ja)* (7) .... głupich filmów, w których tylko strzelają i biją się.

XVI. Proszę połączyć symbol z odpowiednim zdaniem z ramki.

nie wolno używać klaksonu, nie wolno wchodzić z lodami, nie wolno skręcać w prawo, nie wolno się kąpać, nie wolno palić, nie wolno parkować, nie wolno zawracać, nie wolno fotografować, nie wolno deptać trawy, nie wolno śmiecić, nie wolno skręcać w lewo, nie wolno wchodzić z psem

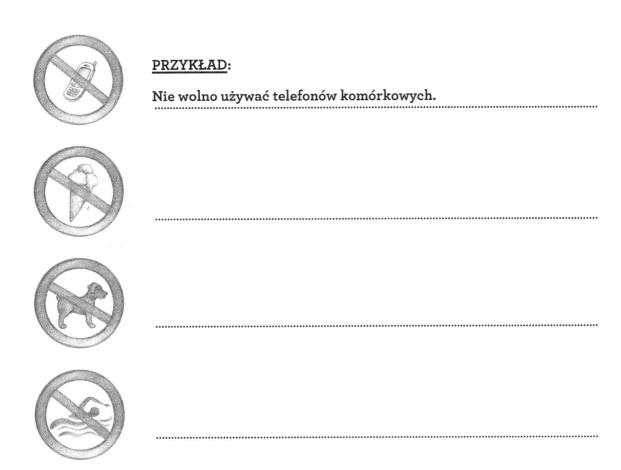

PRZYKŁAD:

Nie wolno używać telefonów komórkowych.

....

....

....

....

....

....

....

....

....

....

....

....

XVII. Proszę przekształcić podane zdania według wzoru.

Dziewczyny przyjechały na wakacje, bo chcą odpocząć.
Dziewczyny przyjechały na wakacje, **żeby odpocząć**.

1. Agnieszka chodzi na kurs francuskiego, bo chce nauczyć się języka.

   ....

2. Beata poszła do Wojtka, bo chciała z nim porozmawiać.

   ....

3. Karolina studiuje dwa fakultety, bo chce mieć dobrą pracę.

   ....

4. Andrzej wyjechał za granicę, bo chce dużo zarabiać.

   ....

5. Paweł ożenił się z Dorotą, bo chciał zapomnieć o Kasi.

   ....

XVIII. Proszę uzupełnić tekst wyrazami z ramki.

> **czatować**, mailuje, otworzyć, zawiesił się, klikał, uzależniony, na czacie, surfował, wydrukuję

Lubicie (0) **czatować**? Ja uwielbiam. Wczoraj całe popołudnie byłam (1) .... (On) (2) .... myszą, ale nie mógł (3) .... żadnego okienka, chyba komputer (4) .... Kupiłam nową drukarkę, wreszcie (ja) (5) .... wszystko, co będę chciała. Marek cały dzień (6) .... w Internecie, on jest chyba (7) .... od komputera. Kasia (8) .... do wielu osób na całym świecie.

XIX. Proszę uzupełnić tekst wyrazami z ramki.

> **oddać, wysyłać, naprawić, przycisnąć, zepsuje się, klawisz, dzwonić, wpisać, model, wymienić**

Kiedy chcesz (0) **włączyć** telefon komórkowy, musisz (1) .... odpowiedni

(2) ...., a następnie poczekać, aż na ekranie pojawi się informacja, że należy

(3) .... kod PIN. Potem już możesz (4) .... bez problemu.

Możesz też (5) .... SMS-y. Jeżeli telefon (6) ...., musisz

(7) .... go do serwisu. Tam mogą (8) .... telefon lub możesz

(9) .... go na inny (10) ....

XX. Proszę uzupełnić zdania spójnikami: więc, ale, ponieważ.

PRZYKŁAD:
Nie pojechałem do Grecji, **ponieważ** nie miałem pieniędzy.

1. Zrozumiałem całą gramatykę, ... nauczyciel dobrze mi ją wytłumaczył.
2. Zrobiłem ćwiczenie, ... nie zrozumiałem ani słowa.
3. Robert nie spał dzisiejszej nocy, ... jest bardzo zmęczony.
4. Studenci nie byli wczoraj na zajęciach, ... byli na wycieczce w Warszawie.
5. Bolała mnie głowa, ... musiałem położyć się do łóżka.

XXI. Proszę uzupełnić zdania spójnikami: więc, ponieważ, ale, i, że, czy.

PRZYKŁAD:
Dorota powiedziała, **że** spotkała cię na dworcu.

1. Byłem chory, ... nie chodziłem do szkoły.
2. Renata jest wysoka, ... jej siostra jest niska.
3. Nie kupiłem tych butów, ... były bardzo drogie.
4. Piotrek powiedział, ... nie lubi mięsa.
5. Marek ma brata .... siostrę.
6. Niestety nie wiem, ... Magda pije kawę.
7. Nie poszedłem na spacer, ... padał deszcz.
8. Byłam głodna, ... nie miałam czasu ugotować obiadu.
9. Matylda zapytała Jurka, ... pójdzie z nią do kina.
10. Łukasz mówił, ... nigdy nie był nad morzem.

KLUCZ DO ZADAŃ

I.1. *Piękna noc i przystojny parlamentarzysta*
Mianownik liczby pojedynczej

I

Kontynent / kraj / miasto	Mieszkaniec	Mieszkanka
Francja	Francuz	Francuzka
Hiszpania	Hiszpan	Hiszpanka
Węgry	Węgier	Węgierka
Szwecja	Szwed	Szwedka
Włochy	Włoch	Włoszka
Czechy	Czech	Czeszka
Niemcy	Niemiec	Niemka
Anglia	Anglik	Angielka
Azja	Azjata	Azjatka
Europa	Europejczyk	Europejka
Australia	Australijczyk	Australijka
Brazylia	Brazylijczyk	Brazylijka
Argentyna	Argentyńczyk	Argentynka
Korea	Koreańczyk	Koreanka
Chiny	Chińczyk	Chinka
Japonia	Japończyk	Japonka
Afryka	Afrykanin	Afrykanka
Ameryka	Amerykanin	Amerykanka
Rosja	Rosjanin	Rosjanka
Egipt	Egipcjanin	Egipcjanka
Warszawa	warszawianin	warszawianka
Kraków	krakowianin	krakowianka
Wrocław	wrocławianin	wrocławianka
Łódź	łodzianin	łodzianka
Poznań	poznanianin	poznanianka

Wielką literą piszemy nazwy mieszkańców kontynentów i krajów.
Małą literą piszemy nazwy mieszkańców miast.

II

rodzaj męski	rodzaj żeński	rodzaj nijaki
ten	**ta**	**to**
satelita, parlamentarzysta, ekonomista, demokrata, kurczak, bandyta, masażysta	sól, noc, gospodyni, miłość, brew, wieś, demokracja, dłoń, szuflada, rzecz, mysz	oko, centrum, zwierzę, akwarium, kurczę, ucho, pole, niemowlę

III

A

rodzaj męski	rodzaj żeński
1. nauczyciel	nauczycielka
2. lekarz	lekarka
3. kucharz	kucharka
4. prezenter	prezenterka
5. dyrektor	dyrektorka
6. dziennikarz	dziennikarka
7. policjant	policjantka
8. ogrodnik	ogrodniczka
9. dentysta	dentystka
10. pielęgniarz	pielęgniarka
11. urzędnik	urzędniczka
12. kelner	kelnerka
13. projektant	projektantka
14. śpiewak	śpiewaczka
15. sprzedawca	sprzedawczyni
16. aktor	aktorka
17. artysta	artystka
18. tancerz	tancerka
19. malarz	malarka

B

1. architekt
2. profesor
3. psycholog
4. inżynier
5. stolarz
6. marynarz
7. przedszkolanka
8. kierowca
9. muzyk
10. psychiatra
11. rolnik

KLUCZ DO ZADAŃ

IV

1 – miły, 2 – odpowiedzialna, 3 – sympatyczna, 4 – kompetentny, 5 – sławna, 6 – znany, 7 – życzliwa, 8 – uprzejma, 9 – wysoki, 10 – punktualny

V

ciepła noc

1. szara mysz
2. biała sól
3. gorąca miłość
4. smutna samotność
5. cenna rzecz
6. szczupła dłoń
7. czarna brew
8. zimna krew
9. inna możliwość

VI

1 – brązowa, 2 – dziwna, mała, 3 – ta, 4 – zimna, 5 – młody, sympatyczny, 6 – biała, 7 – ten dobry, 8 – bogaty, 9 – życzliwy, 10 – małe

VII

1. To jest pochmurny noc. – To jest pochmurna noc.
2. To jest sławny muzyk. +
3. To jest wesoła przedszkolanka. +
4. To jest czysty dłoń. – To jest czysta dłoń.
5. To jest niedobry artysta. +
6. To jest energiczna turysta. – To jest energiczny turysta.
7. To jest drugi możliwość. – To jest druga możliwość.
8. To jest roztargniony kierowca. +
9. To jest amerykańska satelita. – To jest amerykański satelita.
10. To jest piękny akwarium. – To jest piękne akwarium.

VIII

A
1. samotność, 2. starość, 3. młodość, 4. wolność, 5. możliwość, 6. trudność, 7. czystość, 8. długość, 9. wielkość, 10. ciemność

B
1. miłość, 2. nienawiść, 3. zazdrość

IX

1. Wolność jest ważna dla każdego człowieka.
2. Druga możliwość jest trudniejsza.
3. W tym ćwiczeniu gramatycznym jest duża trudność.
4. Starość jest dla niego bardzo ciężka.
5. Młodość nie zawsze jest piękna.

6. Samotność nie musi być smutna.

7. Wysokość budynku jest imponująca.

8. Zazdrość jest zawsze frustrująca.

9. W domu panuje wielka czystość.

10. Ciemność jest przerażająca dla dzieci.

X

1 – które, 2 – która, 3 – który, 4 – które, 5 – która, 6 – które, 7 – który, 8 – która, 9 – który, 10 – które

XI

1 – Jaki to jest ekonomista? 2 – Jakie to jest muzeum? 3 – Jaka to jest kość? 4 – Jaki to jest poeta? 5 – Jaka to jest rzecz? 6 – Jaki to jest turysta? 7 – Jaki to jest artysta? 8 – Jaka to jest pani inżynier? 9 – Jaki to jest przestępca? 10 – Jaka to jest pani minister?

Klucz do rozdziału

I.2. *Wracam znad morza od rodziny*
Dopełniacz liczby pojedynczej

I

DOPEŁNIACZ – rzeczownik		
rodzaj męski	rodzaj żeński	rodzaj nijaki
żywotny dziadka, kota	siostry, telewizji, gazety, szynki, kiełbasy, wody	mięsa, piwa
nieżywotny makaronu, sera, laptopa		

DOPEŁNIACZ – przymiotnik		
rodzaj męski	rodzaj żeński	rodzaj nijaki
żywotny czarnego	młodszej, tłustej, mineralnej	jasnego, wieprzowego
nieżywotny żółtego		

II

A.

Czego szuka Kinga?

książki, klucza, ulicy, domu, zeszytu, komórki, notesu, długopisu, torebki, chusteczki, parasola

B.

Czego potrzebuje Konrad?

chleba, słownika, wody, pieniędzy, czasu, komputera, miłości, odpoczynku, snu, słońca, samotności

III

Szukam	1. **klucza**
	2. pracy
	3. przyjaciela

Boję się	1. pająka
	2. burzy
	3. choroby

Uczę się	1. języka polskiego
	2. gramatyki
	3. biologii

Słucham	1. opowiadania
	2. audycji
	3. koncertu

Bronię	1. miasta
	2. kraju
	3. zamku

Używam	1. komputera
	2. drukarki
	3. skanera

IV

1. Syn Stanisława i Teresy to Sebastian.
2. Córka Kazimierza i Ireny to Zosia.
3. Wnuki Franciszka i Heleny to Zosia, Kamil i Sebastian.
4. Żona Franciszka to Helena.
5. Synowa Franciszka i Heleny to Teresa.
6. Dzieci Wojciecha i Marii to Kinga i Maciek.
7. Zięć Bożeny i Leopolda to Stanisław.
8. Brat Zosi to Kamil.
9. Siostra Marii to Teresa.
10. Siostra Kamila to Zosia.

V

1 – numeru, 2 – pracy, 3 – języka angielskiego, 4 – tej pracy, 5 – kolegi, 6 – sytuacji

VI

1. Proszę **puszkę kukurydzy**.
   słoik majonezu
   kilogram cukru
2. Proszę tabliczkę czekolady.
   litr soku
   kawałek sera
3. Proszę butelkę wina.
   paczkę makaronu
   puszkę piwa
4. Proszę puszkę groszku.
   kilogram mąki
   pudełko herbaty
5. Proszę kostkę masła.
   litr mleka
   20 deka szynki
6. Proszę kilogram ryżu.
   słoik miodu
   główkę kapusty

VII

1. Anka nie lubi jeść marchewki, kapusty ani cebuli.
2. Nie lubi pić mleka, wody ani wódki.
3. Bartek nie lubi jeść mięsa, kiełbasy ani szynki.
4. Nie lubi pić herbaty, wina ani soku.
5. Krzysiek nie lubi jeść sera, masła ani miodu.
6. Nie lubi pić piwa, kompotu ani kawy.

VIII

Dokąd?	Skąd?	Do kogo?	Od kogo?	U kogo?	Dla kogo?	Podczas czego?	Obok / koło kogo / czego?	Wzdłuż czego?	Dookoła czego?
do	z / ze	do	od	u	dla	podczas	obok / koło	wzdłuż	dookoła
kina	kina	babci	babci	babci	babci	urlopu	kina	kina	jeziora
domu	teatru	koleżanki	koleżanki	koleżanki	koleżanki	zimy	babci	domu	domu
teatru	ulicy	brata	brata	brata	brata	weekendu	domu	teatru	kina
Krakowa	Krakowa	lekarza	lekarza	lekarza	lekarza	lata	drzewa	ulicy	teatru
Francji	Francji	mamy	mamy	mamy	mamy		koleżanki	kościoła	świata
kościoła	kościoła	dentysty	dentysty	dentysty	dentysty		brata	rzeki	drzewa
szkoły	szkoły	fryzjera	fryzjera	fryzjera	fryzjera		teatru	szkoły	Krakowa
parku	parku	rodziny	rodziny	rodziny	rodziny		Krakowa	drogi	kościoła
	plaży	dyrektora	dyrektora	dyrektora	dyrektora		lekarza	muru	szkoły
							mamy	parku	parku
							dentysty	plaży	fontanny
							kościoła		
							rzeki		
							szkoły		
							fryzjera		
							drogi		
							rodziny		
							muru		
							parku		
							dyrektora		
							fontanny		
							plaży		

IX

1 – do, 2 – do, 3 – u, 4 – do, 5 – wzdłuż, 6 – wokół, 7 – obok, 8 – do, 9 – u, 10 – podczas, 11 – od, 12 – ze

X

1. Moja babcia nigdy nie używała komputera.
2. Jego brat szukał pracy przez trzy miesiące.
3. Nasza siostra boi się wody.
4. Cały tydzień uczyli się do egzaminu z psychologii.
5. Weronika potrzebuje snu i odpoczynku.
6. Patryk słuchał tej piosenki już trzy razy.
7. W zeszły czwartek Ala była u dentysty dwie godziny.
8. Dzisiaj wybieramy się do teatru.
9. Olga pochodzi z Rosji.
10. Kinga i Jarek pracowali podczas lata w restauracji.

XI

1 – mnie, 2 – jej, 3 – niego, 4 – was, 5 – nas, 6 – ich, 7 – nich, 8 – ciebie, 9 – mnie, 10 – go

XII

1 – Kogo nie znasz?, 2 – Czego nie zwiedziłeś?, 3 – Dokąd pojechaliście w sobotę?, 4 – Skąd wróciła Marzena?, 5 – Obok czego stoi ten dom?, 6 – Wokół czego codziennie spacerowali?, 7 – Wzdłuż czego rosną kwiaty?, 8 – Od kogo wracasz?, 9 – Dla kogo kupili album?, 10 – U kogo spędził wakacje?, 11 – Czyja babcia zrobiła wspaniałe pierogi?, 12 – Czyj dom stoi nad rzeką?

XIII

1 – Jakiego koloru nie lubisz?, 2 – Jakiej literatury nie znacie?, 3 – Do jakiego kina poszli ostatnio?, 4 – U jakiego lekarza byli?, 5 – Z jakiego koncertu wraca Adrian?, 6 – Jakiej czekolady nie jesz?, 7 – Jakiego telefonu używacie?, 8 – Jakiej historii się uczyłeś?, 9 – Do jakiego sklepu idziesz?, 10 – Z jakiego województwa przyjechała ta studentka?

Klucz do rozdziału

I.3. *Dam kwiaty mojej dziewczynie*
Celownik liczby pojedynczej i mnogiej

I

A

1 – tacie, 3 – mamie, Ewie 4 – wujkowi Staszkowi, 10 – Agnieszce, Krzyśkowi, ich dzieciom, braciom, siostrom

B i C

rodzaj męski	rodzaj żeński	rodzaj nijaki	liczba mnoga
Krzyśkowi	mamie	dziecku	braciom
wujkowi	Ewie	--------------------	siostrom
Staszkowi	Agnieszce	--------------------	----------------------
tacie	babci	--------------------	--------------------
--------------------	Zosi	--------------------	--------------------

D

CELOWNIK
Biernik

	Co zrobię?	Komu?	Co?
Na Święta	kupię	*r.m.* **taci-e**	prezenty.
		r.m. **wujk-owi** **Staszk-owi** **Krzyśk-owi**	
		r.ż. **Ewi-e** **mami-e**	
	dam	*r.ż.* **babc-i** **Zos-i**	
		r.n. **dzieck-u**	
		l.mn. **siostr-om** **braci-om**	

II

A

2 – pies, 3 – świat, 4 – kot, 5 – chłopiec, 6 – ojciec, 7 – diabeł, 8 – brat

B

2 – psu, 3 – światu, 4 – kotu, 5 – chłopcu, 6 – ojcu, 7 – diabłu, 8 – bratu

III.

CELOWNIK – przymiotnik			
r. męski	r. żeński	r. nijaki	l. mnoga
starszemu małemu czarnemu	niesympatycznej miłej	piegowatemu	małym smutnym

IV

0. Agata kupi mamie rękawiczki.
1. Agata kupi babci Ewie krem do rąk.
2. Agata kupi babci Marysi miseczkę z Ikei.
3. Agata kupi dziadkowi Jankowi ciepłe skarpety.
4. Agata kupi siostrze kolczyki.
5. Agata kupi Oli płytę Turnaua.
6. Agata kupi synowi Oli książkę o zwierzętach.
7. Agata kupi kuzynce Ani torebkę.
8. Agata kupi kuzynowi Michałowi obrazek.
9. Agata kupi dzieciom Michała kolorowe kredki.

V

Życzenia (D.)	Komu? (C.)	Kto życzy? (M.)
Wesołych Świąt Bożego Narodzenia, dużo zdrowia, uśmiechu i szczęścia w Nowym Roku	*pani Ani* 1. mamie 2. panu Jurkowi z Krakowa 3. babci Barbarze 4. panu profesorowi Nowakowi 5. synowi i córce w Sydney 6. siostrze Magdzie z rodziną 7. wnukom Jasiowi i Małgosi 8. państwu Kowalom	życzy John z Kanady syn Daniel z rodziną rodzina Kowalskich wnuczka Iza z Gdańska Marek z Wrocławia rodzice brat Filip z Londynu dziadek i babcia z Katowic przyjaciel z Warszawy

VI

0) (Michał) **Michałowi** jest zimno.	Jest mu zimno.
a) Panu policjantowi jest bardzo gorąco.	Jest mu bardzo gorąco.
b) Dzieciom jest wesoło.	Jest im wesoło.
c) Ptakom jest zimno.	Jest im zimno.
d) Pani w kiosku jest bardzo zimno.	Jest jej bardzo zimno.
e) Koleżance jest w sam raz.	Jest jej w sam raz.
f) Koledze jest trochę zimno.	Jest mu trochę zimno.
g) Studentowi jest ciepło.	Jest mu ciepło.
h) Robotnikowi jest gorąco.	Jest mu gorąco.

VII

0. **pożyczać**	1. czytać	2. pokazywać
3. gotować	4. pisać	5. robić
6. mówić	7. przyglądać się	8. dawać
9. pomagać	10. sprzątać	11. dziękować
12. wynajmować	13. myć	14. ufać
15. wierzyć	16. podobać się	17. kupować
18. przeszkadzać	19. życzyć	

VIII

1 – Ani podoba się twoja sukienka. 2 – Markowi podoba się nowy rower. 3 – Beacie podoba się ostatni film. 4 – Siostrze podobają się nowe książki. 5 – Babci podoba się ta płyta. 6 – Dziadkowi podobają się piękne kwiaty.

IX

1 – Robert przyglądał się pięknej dziewczynie. 2 – Wieczorem ojciec czytał dzieciom książkę. 3 – Krysia wynajmuje mieszkanie kuzynowi kolegi. 4 – Wczoraj Basia pomogła starszej pani. 5 – Wojtek pożyczył siostrze pieniądze. 6 – Daliśmy naszej koleżance piękną książkę. 7 – Zawsze mogę ufać mojemu bratu. 8 – W końcu Ala powiedziała prawdę swojej przyjaciółce. 9 – Babcia zrobiła wnukom pyszne ciasto. 10 – Mama ugotowała swoim dzieciom wspaniały obiad. 11 – Adrian może wierzyć swojemu przyjacielowi. 12 – Piotrek napisał zadanie koleżance z klasy. 13 – Iza posprzątała mieszkanie chorej sąsiadce. 14 – Witek umył okna starszemu wujkowi. 15 – W środę kupiłam ci płytę Grzegorza Turnaua.

X

1 – Robertowi nie wolno jeździć na nartach. 2 – Basi nie wolno palić. 3 – Pawłowi nie wolno pić alkoholu. 4 – Nie wolno ci zażywać tego lekarstwa. 5 – Karolowi nie wolno tak długo pracować przy komputerze. 6 – Babci nie wolno jeździć w góry. 7 – Dziecku nie wolno długo oglądać telewizji. 8 – Nie wolno mu przebywać na słońcu.

XI

1 – mojemu dobremu koledze, 2 – swojej rodzinie, 3 – rodzinie, 4 – mojemu bratu, 5 – swojemu psu, 6 – małemu kotu, 7 – mojej przyjaciółce, 8 – babci, 9 – dziadkowi, 10 – dzieciom, 11 – córce, 12 – synowi

XII

1 – swojej dziewczynie, 2 – jej, 3 – bratu, 4 – mu, 5 – pięknym zabytkom, 6 – babci, 7 – Robertowi, 8 – rodzicom

XIII

Nie wymaga klucza.

XIV

1 – jej, 2 – ci, 3 – im, 4 – nam, 5 – wam, 6 – mi, 7 – mnie, jemu, 8 – tobie, 9 – wam, 10 – mu, 11 – nam

XV

1 – Czemu przygląda się Patryk?, 2 – Komu ufa Kinga?, 3 – Komu pomogła Wiktoria?, 4 – Komu kupiliśmy pantofle?, 5 – Komu nauczycielka czytała bajkę?, 6 – Komu opowiedziałeś tę historię?, 7 – Komu o tym mówiłeś?, 8 – Czemu się przyglądaliście?, 9 – Komu przeszkadza ciągle młodsza siostra?, 10 – Komu pokazali zdjęcia?

XIV

1 – Jakiemu panu pomógł Wiktor?, 2 – Jakim ludziom ufasz?, 3 – Jakiej koleżance wierzysz?, 4 – Jakim dzieciom czytałaś książkę?, 5 – Jakiej dziewczynie wynajęliście pokój?, 6 – Jakiemu człowiekowi pożyczył pieniądze Marcel?, 7 – Jakiej rodzinie kupiłaś prezenty?, 8 – Jakiemu lekarzowi dasz kwiaty?, 9 – Jakiemu dziecku życzycie zdrowia?, 10 – Jakiej pani Karolina pokazała drogę?

I.4. *Kocham język polski*
Biernik liczby pojedynczej

I

BIERNIK – rzeczownik		
rodzaj męski	rodzaj żeński	rodzaj nijaki
żywotny brata, kota, psa	siostrę, kanapkę	śniadanie, mleko, zadanie
nieżywotny film, telefon		

BIERNIK – przymiotnik		
rodzaj męski	rodzaj żeński	rodzaj nijaki
żywotny starszego, małego, czarnego, dużego, brązowego	młodszą, pyszną	gorące, domowe
nieżywotny przyrodniczy		

II

A.
1. 2 – 21 Maluje obraz.
2. 3 – 26 Piszemy list.
3. 22 – 4 Piją sok.
4. 29 – 5 Jecie obiad.
5. 7 – 28 Macie samochód.
6. 20 – 8 Oglądają telewizję.
7. 9 – 19 Zna język angielski.
8. 10 – 27 Czekają na nauczyciela.
9. 12 – 30 Kocha dziewczynę.
10. 18 – 15 Robią zadanie.

B.
1. szukam
2. interesujesz się
3. zajmujesz się
4. uczę się
5. potrzebujesz

6. przyglądacie się
7. słucham
8. boję się

III

0. **Jeść**   1. pić   2. mieć
3. lubić   4. oglądać   5. czytać
6. pisać   7. robić   8. słyszeć
9. widzieć   10. znać   11. dawać
12. gotować   13. woleć   14. czekać na
15. prosić   16. sprzątać   17. kochać
18. nosić   19. uprawiać   20. spotykać
21. myć   22. brać

IV

1. W aptece możemy kupić **syrop**, **aspirynę**, **plaster**.
2. W piekarni możemy kupić chleb, rogalik, bułkę.
3. W sklepie spożywczym możemy kupić masło, ryż, ser.
4. W perfumerii możemy kupić krem, szampon, puder.
5. W pasmanterii możemy kupić igłę, wstążkę, włóczkę.
6. W sklepie papierniczym możemy kupić długopis, zeszyt, gumkę do mazania.
7. W księgarni możemy kupić mapę, książkę, atlas.
8. W sklepie AGD możemy kupić pralkę, telewizor, mikrofalówkę.
9. W cukierni możemy kupić tort, ciasto, ciastko.
10. U jubilera możemy kupić pierścionek, obrączkę, naszyjnik.
11. W kiosku możemy kupić gazetę, bilet tramwajowy, czasopismo.
12. W sklepie sportowym możemy kupić piłkę, rakietę, rower.

V

1 – kanapkę, 2 – gorące mleko, 3 – telewizor, 4 – interesujący film, 5 – ten program, 6 – psa, kota i papugę, 7 – jedzenie, 8 – psa Freda, 9 – spacer, 10 – prysznic, 11 – ciekawy artykuł, 12 – telefon

VI

1 – jezioro, 2 – Pawła, 3 – Marka, 4 – duży plecak, 5 – mały namiot, 6 – dobrą latarkę, 7 – ciepły śpiwór, 8 – mamę, 9 – tatę, 10 – miesiąc, 11 – swojego psa Kajtka, 12 – koszykówkę, 13 – siatkówkę, 14 – ulubioną książkę

VII

1. płacić za kawę
2. prosić o klucz
3. iść na przystanek
4. jechać nad morze
5. martwić się o dziecko
6. mieć egzamin za miesiąc
7. grać w koszykówkę
8. rozmawiać przez telefon

VIII

Dokąd?	Kiedy?	Jak długo?	Po kogo / co?	Na co?
na	za	przez	po	na
uniwersytet przystanek, górę, ulicę, dworzec, lotnisko, stadion, dół, łąkę, dwór, pocztę, lodowisko				
za	godzinę, moment, rok, tydzień, chwilę, minutę, miesiąc	godzinę, moment, rok, tydzień, chwilę, minutę, miesiąc	chleb, książkę, babcię, brata, kawę, lody	kawę, wykład, film, obiad, kurs, lekcję, konferencję, mecz, lody, koncert
granicę				
nad				
wodę, jezioro, morze, ocean				

IX

1 – za, 2 – po, 3 – na, 4 – przez, 5 – na, 6 – na, 7 – na, 8 – na

X

1 – o, 2 – na, 3 – przez, 4 – na, 5 – przez, 6 – przez, 7 – o, 8 – przez, 9 – na, 10 – na, 11 – na

XI

1. przechodzić przez ulicę
2. prosić o rachunek
3. patrzeć przez okno
4. odpowiadać na pytanie
5. jechać nad morze
6. pytać o zdrowie
7. zapraszać na koncert
8. wyjeżdżać za granicę
9. wchodzić na piętro
10. płacić za kawę
11. iść po masło

XII

1. Beata zapłaciła za kawę.
2. W sobotę poszliśmy na basen.
3. Profesor pytała o naszego kolegę.
4. Publiczność czeka na koncert wspaniałego pianisty.
5. Rodzice martwią się o swoje dziecko.
6. Prosili o wasz adres.
7. Renata z Dominikiem poszła w niedzielę na film.
8. Babcia zaprosiła nas w czwartek na obiad.

9. Czy chciałabyś pójść na przedstawienie we wtorek?
10. Pani Bielecka wyjechała na konferencję.

XIII

1 – ją, 2 – nią, 3 – niego, 4 – was, 5 – go, 6 – mnie, 7 – je, 8 – ich, 9 – nich

XIV

1 – Co lubicie?, 2 – Kogo znasz?, 3 – O kogo pytaliście?, 4 – O co się martwią?, 5 – Za co zapłaciliście?, 6 – Po kogo jedziesz na dworzec?, 7 – Na co odpowiedzieliście?, 8 – O co prosiłeś
dyrektora?, 9 – Co przygotowujesz?, 10 – Co uwielbiają?

XV

1 – Na jaką odpowiedź czekacie?, 2 – O jakie kakao prosiliście?, 3 – O jakiego studenta pytali?,
4 – Jakie dziecko operowali lekarze?, 5 – Jakiego poetę zna Robert?, 6 – Jaką wycieczkę zarezerwowali państwo Ciszewscy?, 7 – Na jaki film poszedłeś?, 8 – Jakie miasto zwiedza Marta?,
9 – Jaką walizkę bierze zawsze Łukasz?, 10 – Jaki chleb jecie zwykle na śniadanie?

Klucz do rozdziału

I.5. *Tęsknię za przyjaciółmi*
Narzędnik liczby pojedynczej i mnogiej

I

NARZĘDNIK LICZBY POJEDYNCZEJ – rzeczownik		
rodzaj męski	rodzaj żeński	rodzaj nijaki
Poznaniem, lekarzem, mężczyzną, dżemem, autobusem, filmem, ogrodem, sportem, domem, psem	kobietą, parą, astronomią, literaturą	mlekiem, morzem

NARZĘDNIK LICZBY POJEDYNCZEJ – przymiotnik		
rodzaj męski	rodzaj żeński	rodzaj nijaki
przystojnym	interesującą, dobraną, skandynawską	ciepłym

NARZĘDNIK LICZBY MNOGIEJ	
rzeczownik	przymiotnik
uczniami, dziećmi, samochodami, rybkami	grzecznymi, pilnymi, mądrymi, złotymi

II

1. z dżemem
2. z mlekiem
3. za literaturą
4. przed domem
5. za domem
6. między domem a domem
7. nad ciepłym morzem

III
A.

1. 2 – 19
   Maluje farbami.
2. 3 – 27
   Piszemy piórem.
3. 18 – 4
   Tęsknię za krajem.
4. 29 – 5
   Jecie łyżką
5. 7 – 28
   Jedziecie samochodem.
6. 11 – 15
   Interesujesz się filmem.
7. 17 – 8
   Przepadacie za telewizją.
8. 13 – 21
   Zajmujesz się domem.
9. 24 – 30
   Opiekuję się kotem.

B.

1. szukam
2. zna
3. czekamy na
4. kocha
5. uczę się
6. potrzebujesz
7. oglądają
8. piją
9. boję się
10. słuchacie

IV

1. Bartek interesuje się kinem włoskim, podróżami i komputerami, a nie interesuje się teatrem, rzeźbą i piłką nożną.
2. Marta interesuje się psychologią, gotowaniem i muzyką rockową, a nie interesuje się malarstwem, fizyką i sportem.
3. Kacper interesuje się koszykówką, kulturą Indian i techniką, a nie interesuje się biologią, baletem i operą.

V

1. Basia jest Francuzką, interesuje się muzyką, zajmuję się tłumaczeniem, opiekuje się kotem, jeździ autobusem, tęskni za rodzicami, przepada za lodami, wakacje spędza nad oceanem, na śniadanie pije wodę z sokiem, pisze długopisem.
2. Magda jest Polką, interesuje się teatrem, zajmuje się psychologią, opiekuje się dzieckiem, jeździ samochodem, tęskni za chłopakiem, przepada za czekoladą, wakacje spędza nad rzeką, na śniadanie pije herbatę z cukrem, pisze ołówkiem.
3. Kuba jest Słowakiem, interesuje się filmem, zajmuje się informatyką, opiekuje się papugą, jeździ tramwajem, tęskni za podróżami, przepada za owocami, wakacje spędza nad jeziorem, na śniadanie pije kawę ze śmietanką, pisze flamastrem.

VI

1 – niską, szczupłą dziewczyną, 2 – przystojnym Hiszpanem, 3 – informatykiem, 4 – programami komputerowymi, 5 – bigosem, 6 – barszczem czerwonym, 7 – uszkami, 8 – Hiszpanią, słońcem, owocami, 9 – zimą, 10 – językami obcymi, 11 – małym dzieckiem, 12 – bezdomnymi kotami, 13 – mlekiem, 14 – serem, 15 – latem, 16 – wodą, 17 – rowerami

VII

1 – pod, 2 – za, 3 – ze, 4 – nad, 5 – przed, 6 – między, 7 – za, 8 – z

VIII

1 – nami, 2 – nim, 3 – nią, 4 – tobą, 5 – mną, 6 – nimi, 7 – mną, 8 – nimi

IX

1 – Czym zajmuje się Jarek?, 2 – Za czym przepada Agnieszka?, 3 – Kim jest Piotrek?, 4 – Za kim tęskni Bogdan?, 5 – Czym interesują się chłopcy?, 6 – Kim interesuje się Kinga?, 7 – Kim opiekuje się Marzena?, 8 – Czym Michał jeździ do pracy?, 9 – Czym pisze Dominik?, 10 – Z czym Jadwiga pije kawę?

X

1 – Jakim kinem interesuje się Weronika?, 2 – Jakim dzieckiem zajmuje się Patrycja?, 3 – Za jaką pogodą tęskni Marcin?, 4 – Za jakimi lodami przepada Robert?, 5 – Z jakimi chłopcami umawiają się dziewczyny?, 6 – Jaką literaturą interesuje się Witek?, 7 – Jaką psychologią zajmuje się Przemek?, 8 – Za jakimi podróżami tęsknią chłopcy?, 9 – Za jakim domem był duży ogród?, 10 – Między jakimi kwiatami siedział kot?

I.6. *W Krakowie, na Rynku*
Miejscownik liczby pojedynczej i mnogiej

I

1. teatr — w teatrze
2. dach — na dachu
3. kino — w kinie
4. łazienka — w łazience
5. pudełko — w pudełku
6. dom — w domu
7. kuchnia — w kuchni
8. tramwaj — w tramwaju
9. miasto — w mieście
10. róg — na rogu
11. noga — na nodze
12. babcia — o babci
13. samochód — w samochodzie
14. stół — na stole
15. niebo — na niebie
16. biurko — na biurku
17. szafa — w szafie

II

MIEJSCOWNIK LICZBY POJEDYNCZEJ – rzeczownik		
rodzaj męski	rodzaj żeński	rodzaj nijaki
-e w teatrze, w samochodzie, na stole	-e w szafie, w łazience, na nodze	-e w kinie, w mieście, na niebie
-u na przystanku na dachu, w tramwaju na rogu	-i o babci, w kuchni	-u w pudełku, na biurku

UWAGA! WYJĄTEK! W domu

III

MIEJSCOWNIK LICZBY POJEDYNCZEJ – przymiotnik		
rodzaj męski	rodzaj żeński	rodzaj nijaki
dużym, prostokątnym, kolorowym	lewej, zielonej, miękkiej, jasnej	starym, drewnianym

IV

1. (w) małych domkach – mały domek
2. (przy) stołach – stół
3. (w) czystych oknach – czyste okno
4. (przy) drewnianych chatach – drewniana chata
5. (w) ogródkach – ogródek
6. (na) starych drzewach – stare drzewo
7. (przy) białych ścianach – biała ściana

V

1 – W aptece. 2 – W kwiaciarni. 3 – W sklepie odzieżowym. 4 – W sklepie AGD. 5 – W sklepie spożywczym. 6 – W cukierni. 7 – W piekarni. 8 – W sklepie obuwniczym. 9 – W perfumerii. 10 – W sklepie papierniczym.

VI

1. Andrzej był w Szwecji.
2. Szymon był w Hiszpanii.
3. Ryszard był w Rosji.
4. Karolina była we Włoszech.
5. Krzysiek był w Brazylii.
6. Małgorzata była w Stanach Zjednoczonych.
7. Jan był w Wielkiej Brytanii.
8. Magda była w Kanadzie.
9. Alina była w Niemczech.
10. Tymoteusz był na Ukrainie.
11. Dorota była w Portugalii.

VII

imię	W jakich krajach był / była?	W jakich polskich miastach był / była?
Krystian	Był w Austrii.	Był w Warszawie.
Renata	Była na Litwie.	Była w Krakowie.
Sebastian	Był w Norwegii.	Był w Gdańsku.
Helena	Była w Holandii.	Była w Olsztynie.
Antoni	Był w Belgii.	Był w Poznaniu.
Weronika	Była na Słowacji.	Była w Łodzi.

VIII

A.

1. Ona jest na basenie. 2. Ona jest na dworcu. 3. On jest na łące. 4. Ona jest na lodowisku. 5. Ona jest na lotnisku. 6. On jest na placu. 7. On jest na poczcie. 8. On jest na targu. 9. Ona jest na ulicy. 10. Ona jest na uniwersytecie.

B.

1. On jest w bibliotece. 2. Ona jest w ogrodzie. 3. On jest w lesie. 4. Ona jest w operze. 5. On jest w pociągu. 6. On jest w samochodzie. 7. On jest w samolocie. 8. Ona jest w szpitalu. 10. Ona jest w teatrze.

IX

1. Kot śpi na łóżku.
2. Okulary leżą na małym stoliku.
3. Kaktus stoi na parapecie.
4. Pies leży na dywanie.
5. Ubrania wiszą w szafie.
6. Komputer jest na biurku.
7. Dywan leży na podłodze.
8. Telewizor stoi na stoliku.
9. Duży kwiat stoi na stoliku.
10. Obrazek wisi na ścianie.
11. Fotografia stoi na półce.
12. Krzesło stoi przy biurku.

X

1 – dużych salach, 2 – długich stołach, 3 – wieczorowych sukniach, 4 – ciemnych garniturach, 5 – ścianach, 6 – sufitach, 7 – ważnych sprawach, 8 – osobistych problemach, 9 – trudnych rozmowach, 10 – tańcach

XI

1 – o, 2 – w, 3 – przy, 4 – w, 5 – o, 6 – na, 7 – o, 8 – o, 9 – po, 10 – na, 11 – w, 12 – po

XII

1 – na, 2 – po, 3 – po, 4 – w, 5 – na, 6 – w, 7 – na, 8 – po, 9 – na, 10 – na

XIII

1 – nim, 2 – niej, 3 – was, 4 – nich, 5 – nim, 6 – tobie, 7 – niej, 8 – nas, 9 – mnie, 10 – nich

XIV

1 – W kim zakochał się Bartek?, 2 – Przy kim dziecko czuje się bezpiecznie?, 3 – O czym dyskutuje Magda?, 4 – O czym marzą chłopcy?, 5 – Gdzie jest parking?, 6 – Gdzie mieszka Łucja?, 7 – Gdzie leży długopis?, 8 – O czym rozmawiają studenci?, 9 – O czym czytałeś?, 10 – Gdzie trzymasz pieniądze?

XV

1 – W jakim chłopcu zakochała się Barbara?, 2 – W jakiej torebce trzymasz klucze?, 3 – W jakim parku spotkali się Andrzej i Krystyna?, 4 – W jakim muzeum była wystawa?, 5 – O jakim nauczycielu rozmawiały dzieci?, 6 – W jakiej książce o tym przeczytałaś?, 7 – Przy jakiej ulicy stał zabytkowy budynek?, 8 – Na jakiej plaży opalali się ludzie?, 9 – W jakim kinie było niewiele osób?, 10 – W jakim akwarium pływało kilka rybek?

XVI

1 – O jakich krajach marzy Monika?, 2 – O jakich planach rozmawiali rodzice?, 3 – W jakich fotelach siedzieli starsi panowie?, 4 – Na jakich półkach stały książki?, 5 – W jakich rzekach jest bardzo zimna woda?

I.7. *Tu pracują inżynierowie, projektanci i graficy*
Mianownik liczby mnogiej rodzaju męskoosobowego

I

1 – nauczyciele, 2 – panowie, 3 – uczniowie, 4 – projektanci, 5 – kosmonauci, 6 – adwokaci, 7 – kucharze, 8 – fryzjerzy, 9 – prezydenci, 10 – pasażerowie

II

1 – studenci, 2 – architekci, 3 – inżynierowie, 4 – nauczyciele, 5 – królowie, 6 – sędziowie, 7 – dziennikarze, 8 – informatycy, 9 – stolarze, 10 – profesorowie, 11 – sportowcy, 12 – marynarze, 13 – kierowcy, 14 – policjanci, 15 – lekarze

III

1 – Francuzi, 2 – Anglicy, 3 – Belgowie, 4 – Finowie, 5 – Rosjanie, 6 – Niemcy, 7 – Włosi, 8 – Czesi, 9 – Litwini, 10 – Amerykanie, 11 – Kanadyjczycy

IV

1 – wujkowie, 2 – bracia, 3 – kuzyni, 4 – bratankowie, 5 – szwagrowie, 6 – teściowie, 7 – synowie

V

wędkarz – wędkarze

1. rowerzysta – rowerzyści
2. król – królowie
3. żołnierz – żołnierze
4. ogrodnik – ogrodnicy
5. kibic – kibice
6. kolekcjoner – kolekcjonerzy
7. kasjer – kasjerzy
8. taksówkarz – taksówkarze
9. ojciec – ojcowie

VI

1 – młodzi, 2 – źli, 3 – wysocy, 4 – interesujący, 5 – mali, 6 – drodzy, 7 – uprzejmi, 8 – życzliwi, 9 – pomocni, 10 – pracowici

VII

1 – twoi, 2 – nasi, 3 – wasi, 4 – moi, 5 – twoi, 6 – nasi, 7 – wasi, 8 – moi

VIII

1 – Szwedzi, 2 – serdeczni, 3 – mili, 4 – przyjaciele, 5 – ludzie, 6 – projektanci, 7 – dekoratorzy, 8 – architekci, 9 – inżynierowie, 10 – kierownicy, 11 – zdrowi, 12 – smutni

-owie	-i	-y	-e
synowie (syn) profesorowie (profesor) inżynierowie (inżynier) królowie (król) sędziowie (sędzia) Belgowie (Belg) Finowie (Fin)	studenci (student) architekci (architekt) policjanci (policjant) Francuzi (Francuz) Włosi (Włoch) Czesi (Czech) Litwini (Litwin)	Anglicy (Anglik) informatycy (informatyk) kierowcy (kierowca) sportowcy (sportowiec) Niemcy (Niemiec) Kanadyjczycy (Kanadyjczyk)	kucharze (kucharz) nauczyciele (nauczyciel) dziennikarze (dziennikarz) stolarze (stolarz) marynarze (marynarz) lekarze (lekarz) Rosjanie (Rosjanin)
wujkowie (wujek) bratankowie (bratanek) szwagrowie (szwagier) teściowie (teść) synowie (syn)	kuzyni (kuzyn)		Amerykanie (Amerykanin)

UWAGA! WYJĄTEK! Bracia

X

1 – Jacy aktorzy występują w tej sztuce?, 2 – Czy bracia są bardzo wysocy?, 3 – Jacy są pracownicy w tej firmie?, 4 – Czy rodzice wyjechali za granicę?, 5 – Kto pracuje na statku?, 6 – Kto mieszka w tym hotelu?, 7 – Czy kuzyni bardzo ci pomogli?, 8 – Jacy nauczyciele uczą w tej szkole?, 9 – Jacy studenci dostali stypendium?, 10 – Czy teściowie przeprowadzili się do Australii?

I.8. *Uwielbiam lody*
Mianownik i biernik liczby mnogiej rodzaju niemęskoosobowego

I

1. mapa – mapy
2. jabłko – **jabłka**
3. samochód – samochody
4. pies – psy
5. droga – drogi
6. bułka – **bułki**
7. róg – rogi
8. stół – stoły
9. okno – okna
10. kuchnia – kuchnie
11. danie – dania
12. koń – konie
13. babcia – babcie
14. tramwaj – tramwaje
15. muzeum – muzea
16. miasto – miasta
17. fotel – fotele
18. pani – panie
19. siostra – siostry
20. kawa – kawy

II

Mianownik i biernik liczby mnogiej rzeczowników		
rodzaj męski nieosobowy	rodzaj żeński	rodzaj nijaki
-y **koty** samochody, psy, stoły	-y mapy, siostry, kawy	-a **jabłka**, okna, dania, muzea, miasta
-i rogi	-i **bułki**, drogi	
-e konie, tramwaje, fotele	-e kuchnie, babcie, panie	

III

1. zgrabne dziewczyny
2. interesujące filmy
3. czerwone jabłka

4. szybkie samochody
5. wysokie góry
6. czyste morza
7. niewygodne buty
8. słodkie ciastka
9. kompetentne nauczycielki
10. wąskie drogi
11. kolorowe dywany
12. grzeczne dzieci

IV

Mianownik i biernik liczby mnogiej przymiotników		
rodzaj męski nieosobowy	rodzaj żeński	rodzaj nijaki
-e	**-e**	**-e**
groźne, interesujące, szybkie, niewygodne, kolorowe	zgrabne, wysokie, kompetentne, wąskie	czerwone, czyste, słodkie, grzeczne

V

1 – To są rasowe psy. Pan Cichoński ma rasowe psy. 2 – To są zabytkowe kościoły. Zwiedzamy zabytkowe kościoły. 3 – To są szybkie tramwaje. Ludzie czekają na szybkie tramwaje. 4 – To są smaczne placki. Jem smaczne placki. 5 – To są egzotyczne ptaki. Obserwujemy egzotyczne ptaki.

VI

1 – To są fascynujące książki. Michał czyta fascynujące książki. 2 – To są uprzejme panie. Spotkaliśmy uprzejme panie. 3 – To są smaczne zupy. Małgosia gotuje smaczne zupy. 4 – To są drogie płyty. Oni kupili drogie płyty. 5 – To są złote rybki. Karmię złote rybki.

VII

1 – To są stare biurka. Oni mają stare biurka. 2 – To są piękne zdjęcia. Zbieramy piękne zdjęcia. 3 – To są pachnące mydła. Kupiłam pachnące mydła. 4 – To są pyszne ciasta. Matylda upiekła pyszne ciasta. 5 – To są gorzkie lekarstwa. Zażywamy gorzkie lekarstwa.

VIII

1 – krzesła, 2 – półki, 3 – książki, 4 – ładne obrazy, 5 – zdjęcia, 6 – flakony, 7 – kolorowe dywaniki, 8 – firanki, 9 – zasłony, 10 – beżowe serwetki

IX

1 – zielone ławki, 2 – huśtawki, 3 – miękkie poduszki, 4 – parasole, 5 – stoliki, 6 – krzesła, 7 – czerwone róże, 8 – żółte tulipany, 9 – fontanny, 10 – stare drzewa

X

1 – Jakie to są krajobrazy?, 2 – Jakie miasta zwiedzasz?, 3 – Jakie to są czasopisma?, 4 – Jakie buty kupują?, 5 – Jakie to są drogi?, 6 – Jakie oferty dostałeś?, 7 – Jakie to są artykuły?, 8 – Jakie programy oglądasz?, 9 – Jakie to są uczennice?, 10 – Jakie masz dzieci?

I.9. *Mam wspaniałych studentów*
Dopełniacz liczby mnogiej i biernik liczby mnogiej rodzaju męskoosobowego

I

DOPEŁNIACZ LICZBY MNOGIEJ – rzeczownik		
rodzaj męski	**rodzaj żeński**	**rodzaj nijaki**
owoców, widelców, noży, chłopców, serów, tortów, naleśników, omletów, placków, napojów, soków, kłopotów, gości, lekarzy	wędlin, ryb, bułek, zup	warzyw, jajek, ciastek, ciast

DOPEŁNIACZ LICZBY MNOGIEJ – przymiotnik		
rodzaj męski	**rodzaj żeński**	**rodzaj nijaki**
ziemniaczanych, owocowych, poważnych, znanych	morskich	wspaniałych

BIERNIK LICZBY MNOGIEJ Rodzaj męskoosobowy	
rzeczownik	**przymiotnik**
kolegów, chłopców, synów	różnych, małych, grzecznych, chudych, zdrowych, szczęśliwych

Wyjątki:
przyjaciół, 2. braci

Dopełniacz liczby mnogiej:
przyjaciół, 2. braci

II
1 – nie spotykam tamtych wesołych chłopców, 2 – Lubimy tych młodych lekarzy, 3 – nie widzę tamtych niegrzecznych chłopców, 4 – Lekarz przyjmie tych chorych pacjentów, 5 – Robert nie zna tamtych utalentowanych artystów, 6 – Spotykam tych znanych aktorów, 7 – nie odwiedziłam tamtych sympatycznych przyjaciół, 8 – Słyszymy tych głośnych sąsiadów, 9 – nie czytał tamtych amerykańskich pisarzy, 10 – Przetłumaczyła tych rosyjskich pisarzy

III

A

cytryn, ogórków, truskawek, jabłek, malin, pomidorów

B

jajek, śliwek, ciastek, melonów, kalafiorów, grzybów

IV

1. Alina nie lubi jeść jajek, czekoladek i melonów.
2. Kacper nie lubi jeść zup, kotletów i jabłek.
3. Wiktoria nie lubi jeść ryb, serów i kalafiorów.

V

1 – naszych domów, 2 – wysokich, uśmiechniętych chłopców, 3 – zakupów, 4 – owoców, 5 – warzyw, 6 – chlebów, 7 – bułek, 8 – sympatycznych starszych panów, 9 – kapeluszy, 10 – parasoli

VI

1 – osiem cytryn, 2 – pół kilograma truskawek, 3 – sześć kostek masła, 4 – pięć litrów mleka, 5 – pięć chlebów, 6 – piętnaście bułek, 7 – siedem butelek soku, 8 – osiem paczek makaronu, 9 – dwa kilogramy pomidorów, 10 – trzy kilogramy ogórków

VII

1 – Parę czarnych kotów śpi w ogrodzie. 2 – Osiem talerzy leży na stole. 3 – Kilkanaście małych dzieci bawi się w parku. 4 – Kilka złotych rybek pływa w akwarium. 5 – Mało sympatycznych studentów zdaje egzamin. 6 – Dużo kompetentnych lekarzy pracuje w tej klinice. 7 – Sześć dojrzałych pomidorów jest w lodówce. 8 – Dużo zagranicznych turystów chodzi po Krakowie. 9 – Pięć zgrabnych dziewczyn jeździ na rowerach. 10 – Siedem dużych psów biega po parku.

VIII

1 – Dużo małych chłopców grało w piłkę. 2 – Sześć rudych wiewiórek jadło orzechy. 3 – Dużo pieniędzy leżało na stole. 4 – Kilka starych drzew było w ogrodzie. 5 – Parę drogich aut stało na parkingu. 6 – Kilka cennych obrazów wisiało na ścianie. 7 – Dużo zdenerwowanych pasażerów czekało na pociąg. 8 – Pięć miłych dentystek przyjmowało pacjentów. 9 – Sześć wygodnych foteli znajdowało się w pokoju. 10 – Dużo niespokojnych kierowców stało w korku.

IX

1 – Jakich studentów spotykasz?, 2 – Jakich pisarzy uwielbiasz?, 3 – Na jakich kolegów czekasz?, 4 – O jakich przyjaciół się martwisz?, 5 – Jakich masz pracowników?

X

1 – Jakich jabłek nie lubisz?, 2 – Jakich butów nie masz?, 3 – Jakich książek ostatnio nie czytałaś?, 4 – Jakich urzędników często nie spotykasz?, 5 – Jakich ciastek nie jesz?, 6 – Jakich dziewczyn nie lubisz?

I.10. *Ojej! Nic nie pamiętam*
Ćwiczenia powtórzeniowe. Rzeczownik i przymiotnik

I

1 – Konrad jedzie do Portugalii. 2 – Studenci jadą na Sycylię. 3 – Jedziemy do Chorwacji. 4 – Ula i Marta jadą do Włoch. 5 – Jadę na Słowację. 6 – Paweł leci na Hawaje. 7 – Nasi znajomi lecą na Wyspy Kanaryjskie. 8 – Sąsiadka leci do Kanady. 9 – Dziadkowie jadą na Węgry. 10 – Jedziemy na Ukrainę. 11 – Moja siostra jedzie do Rosji. 12 – Mój kolega jedzie do Czech. 13 – Jedziemy na Podhale. 14 – Dzieci jadą na Mazury. 15 – Rodzice jadą na Mazowsze.

II
A.
Niemcy, Czechy, Słowacja, Ukraina, Białoruś, Litwa, Rosja

B.
1 – Niemcy leżą na zachód od Polski. 2 – Rosja leży na północny wschód od Polski. 3 – Litwa leży na północny wschód od Polski. 4 – Białoruś leży na wschód od Polski. 5 – Ukraina leży na południowy wschód od Polski. 6 – Słowacja leży na południe od Polski.

III
A.
Kraków (0), Warszawa (1), Wrocław (2), Poznań (3), Szczecin (4), Gdańsk (5), Białystok (6), Lublin (7), Łódź (8), zaznaczony Bałtyk (9), Jeziora Mazurskie (10), Wisła (11), Odra (12), Warta (13), Tatry (14), Sudety (15), Bieszczady (16), Puszcza Białowieska (17)

B.
1 – Łódź znajduje się w centrum Polski. 2 – Bieszczady znajdują się na południowym wschodzie Polski. 3 – Sudety znajdują się na południowym zachodzie Polski. 4 – Jeziora Mazurskie znajdują się na północnym wschodzie Polski. 5 – Puszcza Białowieska znajduje się na wschodzie Polski. 6 – Bałtyk znajduje się na północy Polski. 7 – Poznań znajduje się na zachodzie Polski. 8 – Tatry znajdują się na południu Polski. 9 – Lublin znajduje się na wschodzie Polski. 10 – Wisła płynie z południa na północ.

IV
1 – siostrę, 2 – jej, 3 – lata, 4 – szkoły, 5 – uczennicą, 6 – szkołę, 7 – telewizję, 8 – muzyki, 9 – poniedziałek, 10 – tenisa, 11 – basen, 12 – architektem, 13 – ekonomistą, 14 – dużego psa

V
1 – trzy piwa, 2 – pięć piw, 3 – trzy złote, 4 – dziesięć złotych, 5 – dwie czekolady, 6 – pięć czekolad, 7 – dwa soki, 8 – sześć soków, 9 – trzy samochody, 10 – pięć samochodów, 11 – trzy grosze, 12 – dwadzieścia groszy, 13 – dwa koty, 14 – sześć kotów, 15 – dwa jajka, 16 – sześć jajek, 17 – jeden nóż, 18 – osiem noży, 19 – dwa pomidory, 20 – siedem pomidorów

VI

1 – okna, 2 – okien, 3 – krzeseł, 4 – obrazów, 5 – filiżanek, 6 – cytryn, 7 – fotele, 8 – poduszek, 9 – butelki, 10 – zegarów

VII

1 – masła, 2 – ogórków, 3 – mydła, 4 – pasty, 5 – sklepu spożywczego, 6 – masła, 7 – chleba, 8 – bułek, 9 – szynki, 10 – sera, 11 – mydeł

VIII

1. Czy mogę rozmawiać z
   Anką?
   panem dyrektorem?
   babcią?
   Markiem?

   Niestety nie ma
   Anki.
   pana dyrektora.
   babci.
   Marka.

2. Czy mogę rozmawiać z
   Teresą?
   Sebastianem?
   mamą?
   dziadkiem?

   Niestety nie ma
   Teresy.
   Sebastiana.
   mamy.
   dziadka.

3. Czy mogę rozmawiać z
   Igorem?
   Marią?
   ciocią?
   wujkiem?

   Niestety nie ma
   Igora.
   Marii.
   cioci.
   wujka.

4. Czy mogę rozmawiać z
   Ewą?

Karoliną?
panem Nowakiem?
panem Nowickim?

Niestety nie ma
Ewy.
Karoliny.
pana Nowaka.
pana Nowickiego.

5. Czy mogę rozmawiać z
Tosią?
panem doktorem?
panią Kowalską?
Michałem?

Niestety nie ma
Tosi.
pana doktora.
pani Kowalskiej.
Michała.

6. Czy mogę rozmawiać z
Michaliną?
Sarą?
panią Nowak?
panią doktor?

Niestety nie ma
Michaliny.
Sary.
pani Nowak.
pani doktor.

IX

Zosia lubi jeść jabłka i banany, ale nie lubi jeść ryżu i kapusty, lubi pić wodę, ale nie lubi pić herbaty.

Romek lubi jeść ogórki i pomidory, ale nie lubi jeść truskawek i winogron, lubi pić mleko, ale nie lubi pić piwa.

Alicja lubi jeść chleb i szynkę, ale nie lubi jeść bułek i masła, lubi pić sok, ale nie lubi pić coca-coli.

Wojtek lubi jeść makaron i grzyby, ale nie lubi jeść tortu i ziemniaków, lubi pić kompot, ale nie lubi pić fanty.

Kasia lubi jeść czekoladę i kurczaka, ale nie lubi jeść cebuli i marchewki, lubi pić piwo, ale nie lubi pić soku.

X

1 – przyjaciel, 2 – przyjacielowi, 3 – przyjaciela, 4 – przyjaciela, 5 – przyjacielem, 6 – przyjacielu

XI

1 – przyjaciół, 2 – przyjaciele, 3 – przyjaciół, 4 – przyjaciół, 5 – przyjaciółmi, 6 – przyjaciołach, 7 – przyjaciołom

XII

1 – przyjaciółką, 2 – przyjaciółki, 3 – przyjaciółce, 4 – przyjaciółkę, 5 – przyjaciółce, 6 – przyjaciółką

XIII

1 – przyjaciółki, 2 – przyjaciółkami, 3 – przyjaciółek, 4 – przyjaciółkami, 5 – przyjaciółkach, 6 – przyjaciółki

XIV

1 – miasto, 2 – mieście, 3 – miastem, 4 – miasta, 5 – mieście, 6 – miastu, 7 – miasto

XV

1 – wieś, 2 – wsi, 3 – wieś, 4 – wsi, 5 – wsi, 6 – wsi, 7 – wsi

XVI

1 – cudzoziemca, 2 – cudzoziemcu, 3 – cudzoziemca, 4 – cudzoziemiec, 5 – cudzoziemcem, 6 – cudzoziemcowi, 7 – cudzoziemiec

XVII

1 – zupa pomidorowa, 2 – sok jabłkowy, 3 – deszczowy dzień, 4 – kolorowy dywan, 5 – tęczowa sukienka, 6 – krzesło obrotowe, 7 – metalowe półki, 8 – plastikowy talerz, 9 – porcelanowa filiżanka, 10 – papierowa torba

XVIII

1 – lampka nocna, 2 – ciekawy film, 3 – pociąg pospieszny, 4 – książka biograficzna, 5 – interesująca dziewczyna, 6 – zabytkowy kościół

XIX

1 – małej wsi, 2 – wielkich miast, 3 – nauce, 4 – sławnym uniwersytecie, 5 – kraju, 6 – granicą, 7 – każdej wolnej chwili, 8 – zajęć, 9 – gospodarstwie, 10 – artykułów, 11 – nagrodę, 12 – uniwersytecie

XX

1 – ciemnego pokoju, 2 – ścianie, 3 – stare obrazy, 4 – oknie, 5 – białe pudełko, 6 – biurka, 7 – pudełko, 8 – pudełku, 9 – diamentami, 10 – drzwi, 11 – purpurowym płaszczu, 12 – żółtych róż, 13 – głowie, 14 – purpurową wstążką

XXI

1 – wakacji, 2 – morze, 3 – góry, 4 – granicę, 5 – dalekimi podróżami, 6 – ciepłych krajów, 7 – podróży, 8 – pogodę, 9 – południa, 10 – moimi zwierzętami, 11 – moje kwiaty doniczkowe, 12 – kotem

XXII

1 – Kim jest Matylda?, 2 – Dokąd idą Monika i Paweł?, 3 – Czyj to jest samochód?, 4 – Czego nie lubi Ryszard?, 5 – Kogo kocha Michał?, 6 – O czym opowiada Marek?, 7 – O kim myśli Beata?, 8 – Jakich ciastek nie lubisz?, 9 – Jakie studentki są w czwartej grupie?, 10 – Na kogo czekaliście długo?

Klucz do rozdziału

II. *Nie lubię go, a on nie lubi mnie*
Zaimek

I

1 – was, 2 – nami, 3 – wam, 4 – mnie, 5 – tobie, 6 – go, 7– nich, 8 – niej, 9 – ciebie, 10 – jej

II

1 – ją, 2 – was, 3 – nami, 4 – mną, 5 – ich, 6 – tobą, 7 – je, 8 – nimi, 9 – cię, 10 – niego

III

1 – swoim, 2 – swoimi, 3 – jej, 4 – jej, 5 – jego, 6 – swoją, 7 – moją, 8 – moje, 9 – swoje, 10 – naszego, 11 – ich, 12 – swoim

IV

1 – nim, 2 – nim, 3 – nimi, 4 – go, 5 – mnie, 6 – ciebie, 7 – mi, 8 – cię, 9 – was, 10 – mną, 11 – nam, 12 – nam

V

1 – mi, 2 – nim, 3 – mnie, 4 – nimi, 5 – cię, 6 – nich, 7 – ciebie, 8 – nim, 9 – im, 10 – mi

VI

1 – moje, 2 – jego, 3 – twoi, 4 – moi, 5 – nasze, 6 – wasi, 7 – twoi, 8 – jej, 9 – twoje, 10 – ich

VII

1 – ich, 2 – naszej, 3 – twoim, 4 – wasz, 5 – jej, 6 – waszym, 7 – ich, 8 – twojej, 9 – mojej, 10 – naszego

VIII

1 – moich, 2 – naszymi, 3 – moi, 4 – waszych, 5 – jego, 6 – twoich, 7 – moimi, 8 – naszym, 9 – wasze, 10 – nasi

IX

1 – Czyjej kuzynki nie lubisz?, 2 – Czyjego domu nie widziałaś?, 3 – Z czyim kolegą poszłaś do kina?, 4 – O czyim urlopie myślisz?, 5 – Na czyją siostrę czekasz?, 6 – O czyją przyjaciółkę się

martwisz?, 7 – W czyjej siostrze zakochał się Paweł?, 8 – Czyje to jest dziecko?, 9 – Na czyim biurku to postawiłeś?, 10 – Czyjemu psu się przyglądasz?

X

1 – Z czyimi przyjaciółmi byliście na dyskotece?, 2 – Czyi to są synowie?, 3 – U czyich dziadków jest bardzo miło?, 4 – Czyim kolegom pożyczyliście samochód?, 5 – Czyich psów oni nie lubią?, 6 – Czyje książki macie?, 7 – Czyi pracownicy są bardzo punktualni?, 8 – Czyje dzieci zabrałaś ze szkoły?, 9 – Czyje płyty są bardzo cenne?, 10 – Czyi nauczyciele byli bardzo mili?

XI

1 – Czym przyjechaliście?, 2 – Kim oni są?, 3 – Od kogo wracasz?, 4 – Bez czego nie pijesz kawy?, 5 – Kim opiekuje się Zosia?, 6 – O kogo martwią się dziadkowie?, 7 – Czego szukasz?, 8 – O czym marzą studenci?, 9 – Co sprząta Krzysiek?, 10 – Czemu się przyglądacie?

Klucz do rozdziału

III. *Spotkamy się drugiego o drugiej*
Liczebnik

I

	Ile?	rząd	godzina	miejsce
13	trzynaście	trzynasty	trzynasta	trzynaste
5	pięć	piąty	piąta	piąte
10	dziesięć	dziesiąty	dziesiąta	dziesiąte
8	osiem	ósmy	ósma	ósme
15	piętnaście	piętnasty	piętnasta	piętnaste
7	siedem	siódmy	siódma	siódme
4	cztery	czwarty	czwarta	czwarte
3	trzy	trzeci	trzecia	trzecie
1	jeden	pierwszy	pierwsza	pierwsze
2	dwa	drugi	druga	drugie
17	siedemnaście	siedemnasty	siedemnasta	siedemnaste
14	czternaście	czternasty	czternasta	czternaste
19	dziewiętnaście	dziewiętnasty	dziewiętnasta	dziewiętnaste
20	dwadzieścia	dwudziesty	dwudziesta	dwudzieste

II

1 – za dwadzieścia pięć siódma, 2 – za dziesięć siódma, 3 – siódma, 4 – dziesięć po siódmej, 5 –
piętnaście po siódmej, 6 – za piętnaście ósma, 7 – za pięć ósma, 8 – ósmej, 9 – wpół do trzeciej, 10 – trzeciej, 11 – za dwadzieścia czwarta, 12 – czwarta

III

Godzina	Co Ala robi?
6.00	Ala wstaje.
6.15	Ala je śniadanie.
6.35	Ala się myje.
6.50	Ala się ubiera.
7.00	Ala wychodzi z domu.
7.10	Ala jest na przystanku.
7.15	Ala wsiada do tramwaju.
7.45	Ala wysiada z tramwaju.
7.55	Ala wchodzi do szkoły.
8.00	Zaczynają się lekcje.
14.30	Ala wychodzi ze szkoły.
15.00	Ala wsiada do tramwaju.
15.40	Ala przychodzi do domu.
16.00	Ala je obiad.

IV

1. jeden chłopiec
2. jedna bułka
3. jeden kierowca
4. jedna noc
5. jeden turysta
6. jedno dziecko
7. jedna pani
8. jedno krzesło
9. jeden dentysta
10. jedno akwarium

V

1. dwie siostry
2. dwa koty
3. dwa jabłka
4. dwa stoły
5. dwie książki

6. dwie herbaty
7. dwa okna
8. dwa samochody
9. dwie córki
10. dwie koperty

VI

A

1 – leżą, leży, 2 – czeka, czekają, 3 – pracują, pracuje, 4 – wiszą, wisi, 5 – bawią się, bawi się

B

1 – pisały, pisało, 2 – biegały, biegało, 3 – stały, stało, 4 – jechały, jechało, 5 – przyszły, przyszło

C

1 – będą znajdować / znajdowały się, będzie znajdować / znajdowało się, 2 – będą występować / występowały, będzie występować / występowało, 3 – będą pływać / pływały, będzie pływać / pływało, 4 – będą przyjmować / przyjmowały, będzie przyjmować / przyjmowało, 5 – będą pić / piły, będzie pić / piło

VII

1. Maria Skłodowska-Curie otrzymała Nagrodę Nobla w dziedzinie chemii w tysiąc dziewięćset jedenastym roku.
2. Władysław Reymont otrzymał Literacką Nagrodę Nobla za powieść *Chłopi* w tysiąc dziewięćset dwudziestym czwartym roku.
3. Wisława Szymborska otrzymała Literacką Nagrodę Nobla za całokształt twórczości w tysiąc dziewięćset dziewięćdziesiątym szóstym roku.
4. Lech Wałęsa otrzymał Pokojową Nagrodę Nobla w tysiąc dziewięćset osiemdziesiątym trzecim roku.
5. Henryk Sienkiewicz otrzymał Literacką Nagrodę Nobla za powieść *Quo vadis* w tysiąc dziewięćset piątym roku.
6. Maria Skłodowska-Curie wraz z mężem Piotrem Curie otrzymali Nagrodę Nobla w dziedzinie fizyki w tysiąc dziewięćset trzecim roku.

VIII

1. Wstąpienie Polski do Unii Europejskiej – pierwszego maja dwa tysiące czwartego roku.
2. Wybuch II wojny światowej – pierwszego września tysiąc dziewięćset trzydziestego dziewiątego roku.
3. Bitwa pod Grunwaldem – piętnastego lipca tysiąc czterysta dziesiątego roku.
4. Stan wojenny – trzynastego grudnia tysiąc dziewięćset osiemdziesiątego pierwszego roku.
5. Pierwsza polska konstytucja – trzeciego maja tysiąc siedemset dziewięćdziesiątego pierwszego roku.
6. Odzyskanie niepodległości – jedenastego listopada tysiąc dziewięćset osiemnastego roku.
7. Pierwsze demokratyczne wybory – czwartego czerwca tysiąc dziewięćset osiemdziesiątego dziewiątego roku.

8. Wybór Polaka na papieża – szesnastego października tysiąc dziewięćset siedemdziesiątego ósmego roku.
9. Zakończenie II wojny światowej – ósmego maja tysiąc dziewięćset czterdziestego piątego.

IX

1. Obszar województwa małopolskiego wynosi piętnaście tysięcy sto osiemdziesiąt trzy kilometry kwadratowe.
2. W Polsce mieszka trzydzieści osiem milionów sto jedenaście tysięcy osób.
3. Wisła ma tysiąc czterdzieści siedem kilometrów długości.
4. Najgłębsze polskie jezioro Hańcza ma sto osiem metrów głębokości.
5. Najwyższą polską budowlą jest Pałac Kultury i Nauki w Warszawie, który ma prawie dwieście trzydzieści jeden metrów.
6. Najwyższy szczyt w Polsce nazywa się Rysy, jest w Tatrach i ma dwa tysiące czterysta dziewięćdziesiąt dziewięć metrów wysokości.
7. Najwyższa temperatura w Polsce była dwudziestego dziewiątego lipca tysiąc dziewięćset dwudziestego pierwszego roku i wynosiła ponad czterdzieści stopni Celsjusza.
8. Najniższa temperatura w Polsce była jedenastego stycznia tysiąc dziewięćset czterdziestego roku i wynosiła minus czterdzieści jeden stopni Celsjusza.
9. Najsłynniejszy polski dzwon znajduje się na Wawelu, nazywa się Zygmunt i waży prawie trzynaście ton, jego serce waży trzysta sześćdziesiąt pięć kilogramów.
10. Najstarsze kino w Polsce znajduje się w Szczecinie, nazywa się Pionier, zostało otwarte w tysiąc dziewięćset dziewiątym roku, a więc ma sto dwa lata (w 2011 r.).

X

Adam Mickiewicz urodził się (0) dwudziestego czwartego grudnia tysiąc siedemset dziewięćdziesiątego ósmego roku w Zaosiu lub Nowogródku. Był wielkim poetą okresu romantyzmu. (1) Od tysiąc osiemset siódmego do tysiąc osiemset piętnastego roku chodził do szkoły w Nowogródku. (2) W tysiąc osiemset piętnastym roku wyjechał do Wilna na studia. (3) W tysiąc osiemset dziewiętnastym roku skończył studia.

Do (4) tysiąc osiemset dwudziestego trzeciego roku mieszkał w Kownie, gdzie pracował jako nauczyciel. (5) Od tysiąc osiemset dwudziestego czwartego do tysiąc osiemset dwudziestego dziewiątego roku przebywał w Petersburgu, Odessie, Moskwie i na Krymie. (6) W tysiąc osiemset dwudziestym dziewiątym roku wyjechał do Niemiec. (7) W tysiąc osiemset trzydziestym drugim roku przeprowadził się do Paryża. (8) W tysiąc osiemset trzydziestym czwartym roku ożenił się z Celiną Szymanowską i miał sześcioro dzieci. (9) Od tysiąc osiemset pięćdziesiątego drugiego roku pracował w Bibliotece Arsenału w Paryżu. (10) W tysiąc osiemset pięćdziesiątym piątym roku podczas wojny krymskiej wyjechał do Konstantynopola, gdzie zmarł w czasie epidemii cholery (11) dwudziestego szóstego listopada tysiąc osiemset pięćdziesiątego piątego roku. Został pochowany w Paryżu, a (12) w tysiąc osiemset dziewięćdziesiątym roku na Wawelu.

IV. *Jestem najlepszy z grupy*
Stopniowanie przymiotnika

I

1. Niski – niższy – najniższy
2. Gruby – grubszy – najgrubszy
3. Chudy – chudszy – najchudszy
4. Stary – starszy – najstarszy
5. Młody – młodszy – najmłodszy
6. Mały – mniejszy – najmniejszy
7. Duży – większy – największy
8. Nowy – nowszy – najnowszy
9. Dobry – lepszy – najlepszy
10. Zły – gorszy – najgorszy
11. Długi – dłuższy – najdłuższy
12. Drogi – droższy – najdroższy

II
A

1. – żyrafa
2. – lew
3. – wilk
4. – pies
5. – kot
6. – jaszczurka
7. – wieloryb
8. – krokodyl
9. – koliber
10. – wąż
11. – gepard
12. – mrówka
13. – żółw

B

1. Żyrafa jest wyższa od lwa.
2. Wilk jest groźniejszy od psa. Wilk jest groźniejszy niż pies.
3. Pies jest wierniejszy od kota. Pies jest wierniejszy niż kot.
4. Kot jest większy od jaszczurki. Kot jest większy niż jaszczurka.
5. Wieloryb jest cięższy od krokodyla. Wieloryb jest cięższy niż krokodyl.
6. Koliber jest mniejszy od węża. Koliber jest mniejszy niż wąż.
7. Wąż jest dłuższy od geparda. Wąż jest dłuższy niż gepard.
8. Mrówka jest bardziej pracowita od żółwia. Mrówka jest bardziej pracowita niż żółw.

9. Żółw jest wolniejszy od krokodyla. Żółw jest wolniejszy niż krokodyl.
10. Gepard jest szybszy od wilka. Gepard jest szybszy niż wilk.

C

1. Żyrafa jest najwyższa ze wszystkich zwierząt.
2. Lew jest najgroźniejszy ze wszystkich zwierząt.
3. Pies jest najwierniejszy ze wszystkich zwierząt.
4. Wieloryb jest najcięższy ze wszystkich zwierząt.
5. Koliber jest najmniejszy ze wszystkich ptaków.
6. Gepard jest najszybszy ze wszystkich zwierząt.

III

1. Basia jest ładniejsza niż Anka.
2. Pomarańcza jest lepsza niż jabłko.
3. Tamten dom jest większy niż ten dom.
4. Tamten film jest gorszy od tego filmu.
5. Żółta papuga jest mniejsza niż zielona papuga.
6. Pan Nowak jest bogatszy niż Pan Kowalski.
7. Tamta książka jest ciekawsza od tej książki.
8. Pani Marysia jest starsza niż pani Zosia.
9. Restauracja na ulicy Sławkowskiej jest droższa niż restauracja na ulicy Grodzkiej.
10. Środa była zimniejsza niż wtorek.

IV

1. Pan Paweł jest wyższy niż pan Piotr.
2. Jezioro Śniardwy jest większe niż jezioro Hańcza.
3. Pani Alicja jest starsza niż pan Bogusław.
4. Na Plutonie temperatura jest niższa niż na Neptunie.
5. Gepard jest szybszy niż gazela.
6. Słoń afrykański jest cięższy niż słoń indyjski.
7. Nazwisko „Nowak" jest popularniejsze niż nazwisko „Kowalski".
8. Ulica Samborska w Warszawie jest krótsza niż ulica Infelda w Sosnowcu.

V

1. Największą planetą w Układzie Słonecznym jest Jowisz.
2. Dinozaur argentynozaur był najcięższym zwierzęciem (100 ton), które żyło na lądzie.
3. Morze Czerwone jest najcieplejszym morzem na Ziemi.
4. Największym jeziorem na świecie jest Morze Kaspijskie.
5. Najdłuższą nazwą miejscowości w Polsce jest Siemieniakowszczyzna (20 liter).
6. Najdłuższą rzeką na świecie jest Amazonka (7100 km).
7. Najniższą temperaturę na świecie zanotowano w 1983 roku na Antarktydzie: –89,2 stopni Celsjusza.
8. Najbogatszym krajem na świecie jest Luksemburg (42 986 dolarów USA na głowę).

VI

1 – grzeczniejsza, najgrzeczniejszym, 2 – tańsza, najtańsza, 3 – słodszy, najsłodszy, 4 – młodsza, najmłodsza, 5 – cieplejszy, najcieplejszy, 6 – większy, największy, 7 – droższy, najdroższy, 8 – dłuższą, najdłuższą, 9 – lepsze, najlepsze, 10 – gorsze, najgorsze

VII

1 – szczuplejsza, 2 – lepszą, 3 – gorsze, 4 – bardziej pracowity, 5 – bardziej wysportowany, 6 – smaczniejsze, 7 – ładniejsze, 8 – milsza, 9 – bardziej uprzejma, 10 – bardziej zdyscyplinowany

VIII

1 – Kasia jest bardziej pracowita od Patryka. 2 – Moja książka jest bardziej kolorowa od twojej książki. 3 – Ten film jest bardziej interesujący od tamtego filmu. 4 – Krzysiek jest bardziej wysportowany od Andrzeja. 5 – Monika jest bardziej uprzejma od Karoliny. 6 – Marzec jest bardziej deszczowy od kwietnia. 7 – Lipiec jest bardziej słoneczny od września. 8 – Ten artysta jest bardziej twórczy od tamtego artysty. 9 – Kuba jest bardziej pomysłowy od Adriana. 10 – Śledź jest bardziej słony od łososia.

IX

1 – Kacper jest mniej posłuszny niż jego brat. 2 – Te pomidory są mniej dojrzałe niż tamte. 3 – Ten film jest mniej romantyczny niż tamten. 4 – Październik jest mniej wietrzny niż listopad. 5 – Dzisiejszy dzień jest mniej mglisty niż wczorajszy. 6 – Gosia jest mniej energiczna niż Basia. 7 – Ciocia Ala jest mniej samotna niż kuzynka Marta. 8 – To krzesło jest mniej wygodne niż tamten fotel. 9 – Antoś jest mniej ponury niż jego kuzyn Bartek. 10 – Klara jest mniej rozmowna niż jej siostra.

X

1 – najbardziej kolorowy, 2 – najbardziej gorzkie, 3 – Najbardziej znanym, 4 – najbardziej deszczowy, 5 – najbardziej pracowity, 6 – najbardziej sentymentalny, 7 – najbardziej niebezpieczny, 8 – najbardziej samotna, 9 – najbardziej uprzejmą, 10 – najbardziej interesująca

XI

1 – z, 2 – niż, 3 – ze, 4 – od, 5 – niż

V.1. *Słucham, powtarzam, notuję*
Czas teraźniejszy

I

A

	-ę, -esz	-ę, -isz (-ysz)	-am, -asz	-em, -esz
ja	wstaję, myję, piję	robię, budzę się, lubię	ubieram się	jem
ty	wstajesz	robisz	sprzątasz	jesz
on, ona, ono	myje	robi, śpi	pamięta	je
my	pijemy	wychodzimy	sprzątamy	jemy
wy	pijecie	wychodzicie	zamykacie	
oni, one	wstają, piją	wychodzą	ubierają się	jedzą, rozumieją

B

Koniugacja	-ę, -esz	-ę, -isz (-ysz)	-am, -asz	-em, -esz
1 os. l.poj.	-ę	-ę	-am	-em
2 os. l.poj.	-esz	-is(-ysz)	-asz	-esz
3 os. l.poj.	-e	-i (-y)	-a	-e
1 os. l.mn.	-emy	-imy (-ymy)	-amy	-emy
2 os. l.mn.	-ecie	-ici (-ycie)	-acie	-ecie
3 os. l.mn.	-ą	-ą	-ają	-eją

II

1 – myje, 2 – ubiera się, 3 – przygotowuje, 4 – budzi, 5 – jedzą, 6 – sprzątają

III

1 – idzie, 2 – wsiada, 3 – jedzie, 4 – wysiada, 5 – jadą, 6 – chodzą, 7 – wsiadają, 8 – jadą

IV

1 – wstaję, 2 – idę, 3 – parzę, 4 – kroi, 5 – włącza, 6 – słuchamy, 7 – karmi, 8 – wychodzi, 9 – opiekuje się, 10 – pielęgnuje, 11 – wyjeżdża, 12 – odprowadzam, 13 – wymyślam, 14 – piszę, 15 – przeglądam, 16 – odbieram, 17 – wracamy, 18 – namawiają, 19 – zgadzam się, 20 – cieszy się

V

1 – lubisz, 2 – lubię, 3 – uwielbiam, 4 – wolisz, 5 – wolę, 6 – znosi, 7 – uwielbia, 8 – woli, 9 – znosi, 10 – lubimy

VI

1 – wchodzić, 2 – schodzić, 3 – wchodzę, 4 – wychodzę, 5 – wychodzę, 6 – przychodzę, 7 – przychodzić, 8 – wychodzę

VII

1 – możemy, 2 – mogę, 3 – mogę, 4 – możesz, 5 – może, 6 – mogą, 7 – możemy

VIII

1 – muszę, 2 – musi, 3 – musimy, 4 – muszą, 5 – musicie, 6 – musicie

IX

1 – powinna, 2 – powinny, 3 – powinieneś, 4 – powinniśmy, 5 – powinny, 6 – powinniście, 7 – powinni, 8 – powinien, 9 – powinien, 10 – powinnaś, 11 – powinnam, 12 – powinienem

X

1 – Powinieneś schudnąć. 2 – Powinnaś posprzątać. 3 –Powinien się wyspać. 4 – Powinienem odpocząć. 5 – Powinni się umyć. 6 – Powinny zrobić zakupy. 7 – Powinna zrobić pranie. 8 – Powinniśmy nauczyć się. 9 – Powinnyście podlać kwiaty. 10 – Powinniście nakarmić psa.

XI

1 – Tu nie wolno głośno rozmawiać. 2 – Tu nie można robić zdjęć. 3 – Tu nie wolno wchodzić. 4 – Tu nie można parkować. 5 – Tu nie wolno się kąpać. 6 – Tego nie można dotykać.

XII

1 – nie wolno, 2 – musisz, 3 – nie wypada, 4 – należy, 5 – można, 6 – musisz, 7 – należy, 8 – nie wolno, 9 – można, 10 – nie wolno

Klucz do rozdziału

V.2. *Przyjechałem do Polski pół roku temu*
Aspekt dokonany i niedokonany w czasie przeszłym

I

1 – wiedział, 2 – chciał, 3 – myślał, 4 – miała, 5 – musieli, 6 – leżała, 7 – wiedziała, 8 – myślała, 9 – powiedziała

II

1 – jeździłem, 2 – dała, 3 – marzyłem, 4 – mogłem, 5 – zwiedzaliśmy, 6 – pływaliśmy, 7 – zaproponował, 8 – powiedzieli, 9 – przedstawiła, 10 – zakochaliśmy się

III

1 – dotrzymywał, 2 – czekała, 3 – zaczęła się, 4 – zdecydowała, 5 – gotowała, 6 – przyszedł, 7 – przepraszał, 8 – kupował, 9 – pamiętał, 10 – lubiła, 11 – się ucieszyła, 12 – oglądała, 13 – zajmował się, 14 – zrobił, 15 – pochwaliła

IV

1 – spędziła, 2 – poznała, 3 – spotykali się, 4 – rozmawiali, 5 – chodzili, 6 – mieszkał, 7 – się skończyło, 8 – wróciła, 9 – pisała, 10 – napisał

V

0. **Małgosia poszła do sklepu.**
1. Poszedłem do kina.
2. Poszłam do kawiarni.
3. Dziadek Janek poszedł do parku.
4. Babcia Alina poszła do sąsiadki.
5. Poszliśmy na uniwersytet.
6. Poszłyśmy do szkoły.
7. Maciek i Agata poszli do teatru.
8. Weronika i Alicja poszły do koleżanki.
9. Poszedłeś do dziewczyny.
10. Poszłaś na pocztę.
11. Poszłyście do domu.
12. Poszliście do dentysty.

VI

1 – po-, 2 – po-, 3 – przy-, 4 – wy-, 5 – przy-, 6 – przy-, 7 – po-, 8 – po-, 9 – wy-, 10 – wy-

VII

1 – Kiedy sprzątałeś mieszkanie, przyszedł Marek. 2 – Kiedy pracował, zadzwoniła Marta. 3 – Kiedy czytała, zaczął padać deszcz. 4 – Kiedy rozmawiałyśmy, przyszła Dorota. 5 – Kiedy szliście ulicą, zdarzył się wypadek. 6 – Kiedy spali, zatelefonował Jurek. 7 – Kiedy oglądały film, przyszedł sąsiad. 8 – Kiedy brałem prysznic, złamałem nogę. 9 – Kiedy robiłaś zakupy, zgubiłaś pieniądze. 10 – Kiedy jeździliśmy na nartach, Mateusz się przewrócił.

VIII

1 – spotykała się, 2 – spotkała, 3 – spóźniał się, 4 – spóźnił się, 5 – czekała, 6 – przyszedł, 7 – powiedział, 8 – zjeść, 9 – wypić, 10 – zaprosił, 11 – powiedziała, 12 – napisała, 13 – przeczytała, 14 – pisała, 15 – czytała, 16 – ugotował, 17 – gotować, 18 – zrobili, 19 – robili

IX

1 – zapomniała, 2 – opowiadał, 3 – zobaczyła, 4 – zgubiła, 5 – przechodziły

X

1 – napisała, 2 – namawiałem, 3 – wzięła, 4 – poszedł, 5 – wychodziła

V.3. *Wrócę tu na pewno*
Aspekt dokonany i niedokonany w czasie przyszłym

I

1 – będzie chodzić / chodziła, 2 – będzie słuchać / słuchała, 3 – będzie odwiedzać / odwiedzała, 4 – będą oglądać / oglądali, 5 – będą jeść / jedli, 6 – będą robić / robili, 7 – będę spotykać się / spotykał się, 8 – będę zbierać / zbierał, 9 – będę jeździć / jeździł, 10 – będziemy zwiedzać / zwiedzały, 11 – będziemy tańczyć / tańczyły, 12 – będziemy rozmawiać / rozmawiały

II

A

0. Nie będę **zabierać kredek bratu.**
1. Nie będę zjadać deseru siostrze.
2. Nie będę ciągnąć kota za ogon.
3. Nie będę oglądać dużo telewizji.
4. Nie będę grać w gry komputerowe.
5. Nie będę bić się z kolegami.

0. Będę **karmić rybki.**
1. Będę się uczyć.
2. Będę odrabiać zadanie.
3. Będę codziennie czytać książki.
4. Będę sprzątać pokój.
5. Będę wyrzucać śmieci.

B

0. Nie będę **plotkować z koleżankami.**
1. Nie będę wysyłać SMS-ów podczas lekcji.
2. Nie będę jeść słodkich batoników.
3. Nie będę krzyczeć na młodszych braci.
4. Nie będę kłócić się z rodzicami.
5. Nie będę chodzić spać późno.

0. Będę **jeść śniadania.**
1. Będę wychodzić z psem.
2. Będę chodzić na basen.
3. Będę codziennie uczyć się hiszpańskiego.
4. Będę pomagać Michałowi w lekcjach.
5. Będę odprowadzać Marka do przedszkola.

III

1. **będę szedł – pójdę (iść – pójść),**
2. będziesz jadła – zjesz (jeść – zjeść),
3. będziecie grali – zagracie (grać – zagrać),
4. będziemy czytały – przeczytamy (czytać – przeczytać),
5. będą jechali – pojadą (jechać – pojechać),
6. będzie sprzątał – posprząta (sprzątać – posprzątać),
7. będzie pisała – napisze (pisać – napisać),
8. będę oglądała – obejrzę (oglądać – obejrzeć),
9. będziesz zwiedzał – zwiedzisz (zwiedzać – zwiedzić),
10. będziemy zapraszać – zaprosimy (zapraszać – zaprosić),
11. będą pili – wypiją (pić – wypić),
12. będziemy się opalały – opalimy się (opalać się – opalić się),
13. będzie dawał – da (dawać – dać),
14. będę dostawała – dostanę (dostawać – dostać),
15. będziemy kupowały – kupimy (kupować – kupić).

IV

1 – będzie wstawała, 2 – będzie zaczynała, 3 – pozna, 4 – będzie się uczyła, 5 – wyjedzie, 6 – będzie chodziła, 7 – zadzwoni, 8 – opowie, 9 – będzie czekała, 10 – spóźni się

V

1. (Czy) zrobisz mi zakupy?
2. (Czy) pokaże mi pani te buty?
3. (Czy) posprzątasz pokój?
4. (Czy) przeczytacie tę książkę?
5. (Czy) pójdziecie z psem na spacer?
6. (Czy) zaprosimy sąsiadkę?
7. (Czy) pojedziemy nad morze?
8. (Czy) zwiedzicie to muzeum?
9. (Czy) państwo przyjdą do nas?
10. (Czy) wytłumaczy mi pan to ćwiczenie?

VI

1 – przeczytam, 2 – zrobię, 3 – będziemy uczyli się, 4 – powiem, 5 – będę wychodziła, 6 – nie będę piła, 7 – pójdziemy, 8 – będziesz jadł, 9 – pojedziemy, 10 – dostanie

VII

1 – pojadę, 2 – zwiedzę, 3 – będę studiować / studiował, 4 – nauczę, 5 – zacznę, 6 – będę (...) pracować / pracował, 7 – wrócę, 8 – ożenię się, 9 – zbudujemy, 10 – będziemy (...) podróżować / podróżowali, 11 – przeprowadzimy się, 12 – będziemy mieszkać / mieszkali

VIII

1 – skończę, 2 – pojadę, 3 – spędzimy, 4 – będziemy jeździć / jeździli, 5 – będziemy rozmawiać / rozmawiali, 6 – będziemy pić / pili, 7 – pojadę, 8 – będę uczyć się / uczyła się, 9 – będę pracować / pracowała, 10 – będę remontować / remontowała, 11 – pomoże, 12 – będziemy chodzić / chodzili, 13 – pomyślę, 14 – pojadę, 15 – się zobaczymy, 16 – spróbuję, 17 – dostanę, 18 – pojadę, 19 – zostanę

IX

1 – pojadę, 2 – odpocznę, 3 – poczekam, 4 – przyjadą, 5 – weźmiemy, 6 – włożymy, 7 – ruszymy, 8 – będziemy szli, 9 – zatrzymamy się, 10 – zjemy, 11 – położymy się, 12 – obudzimy się, 13 – wypijemy, 14 – pójdziemy

X

1. W przyszłą sobotę będziemy jechali do Gdańska. –
2. W przyszłą sobotę pojedziemy do Gdańska.
3. Jutro będę wstawał o ósmej. –
4. Jutro wstanę o ósmej.
5. Przyjdziemy do was w niedzielę. +
6. W tym roku dwa razy w tygodniu pójdę na basen. –
7. W tym roku dwa razy w tygodniu będę chodził na basen.
8. To lekarstwo będzie pani zażywała dwa razy dziennie przez dwa tygodnie. +

9. Jutro zamówimy pizzę do domu. +
10. Postanowiłam, że od jutra regularnie pójdę na spacer. –
11. Postanowiłem, że od jutra regularnie będę chodziła na spacer.
12. W lecie często zjem lody. –
13. W lecie często będę jadła lody.
14. Czy w czasie wakacji będziecie jechali nad morze? –
15. Czy w czasie wakacji pojedziecie nad morze?
16. Po południu Paweł i Krzysiek zrobią zakupy.+

Klucz do rozdziału

V.4. *Naucz się języka polskiego!*
Tryb rozkazujący

I

	pisać	pić	myśleć	jeść	czytać
1 os. l.poj.	piszę	piję	myślę	jem	czytam
2 os. l.poj.	piszesz	pijesz	myślisz	jesz	czytasz
3 os. l.mn.	piszą	piją	myślą	jedzą	czytają
Tryb rozkazujący (2 os. l.poj)	Pisz !	Pij!	Myśl!	Jedz!	Czytaj!
Tryb rozkazujący (1 os. l.mn)	Piszmy!	Pijmy!	Myślmy!	Jedzmy!	Czytajmy!
Tryb rozkazujący (2 os. l.mn.)	Piszcie!	Pijcie!	Myślcie!	Jedzcie!	Czytajcie!

II
2 – f, 3 – g, 4 – b, 5 – h, 6 – i, 7 – c, 8 – e, 9 – a

III
1
a) – oglądaj, oglądajcie, b) – powtarzaj, powtarzajcie, c) – pamiętaj, pamiętajcie, d) – odpowiadaj, odpowiadajcie, e) – biegaj, biegajcie
2
a) – pij, pijcie, b) – kupuj, kupujcie, c) – wstawaj, wstawajcie, d) – jedź, jedźcie, e) – myj się, myjcie się
3
a) – płać, płaćcie, b) – mów, mówcie, c) – licz, liczcie, d) – ucz się, uczcie się, e) – tańcz, tańczcie

IV

1

a) – Pomaluj ten pokój!, b) – Ugotuj coś dobrego!, c) – Napisz do niej list!, d) – Przetłumacz ten tekst!, e) – Umyj to jabłko!

2

a) – Porozmawiajcie o tym z Ewą!, b) – Posłuchajcie dzisiaj radia!, c) – Poczekajcie na mnie!, d) – Sprzedajcie ten samochód!, e) – Uczcie się więcej!

V

1 – Ucz się polskiego!, 2 – Mów po polsku!, 3 – Wypij kawę!, 4 – Pomyśl o tym!, 5 – Idź do sali!

VI

2. Włóż pranie do pralki.
3. Zamknij drzwiczki pralki.
4. Wsyp proszek do odpowiedniego dozownika.
5. Wlej płyn do płukania do odpowiedniego dozownika.
6. Nastaw odpowiedni program.
7. Naciśnij przycisk: START.

VII

1 – Nie pisz do niego!, 2 – Nie czytaj tego listu!, 3 – Nie jedzcie teraz obiadu!, 4 – Nie gotuj dzisiaj spaghetti!, 5 – Nie róbcie tego ćwiczenia!, 6 – Nie uczcie się tego na pamięć!, 7 – Nie pij kawy!, 8 – Nie sprzątaj pokoju!, 9 – Nie zażywaj tego lekarstwa!, 10 – Nie bierz tej torby!

VIII

1 – Niech Krzysiek tam idzie!, 2 – Niech państwo się zdecydują!, 3 – Niech on jej to powie!, 4 – Niech pani to podpisze!, 5 – Niech przeproszą tę dziewczynę!, 6 – Niech pan kogoś zapyta!, 7 – Niech Ala zaprosi Marka!, 8 – Niech państwo tego posłuchają!, 9 – Niech dziewczyny się tego nauczą!, 10 – Niech pan za to zapłaci!, 11 – Niech pani to obejrzy!, 12 – Niech państwo zwiedzą to muzeum!

IX

1 – Umyj się i ubierz!, 2 – Zjedz śniadanie!, 3 – Wyjdź do szkoły o 7.45!, 4 – Wróć do domu zaraz po szkole!, 5 – Weź sobie obiad!, 6 – Zrób lekcje!, 7 – Nie oglądaj telewizji!, 8 – Nie graj na komputerze!, 9 – Zadzwoń do babci!, 10 – Nie otwieraj nikomu drzwi!

X

1 – jedźmy, 2 – zjedzmy, 3 – wypijmy, 4 – porozmawiajmy, 5 – wróćmy, 6 – chodźmy, 7 – obejrzyjmy, 8 – pospacerujmy, 9 – spotkajmy się, 10 – opowiedzmy

V.5. *Gdybym był bogaty...*
Tryb przypuszczający

I

1 – 11 – chciałby, 2 – 1 – chciałaby, 3 – 9 – chciałabym, 4 – 2 – chcieliby, 5 – 6 – chcielibyście, 6 – 3 – chciałybyśmy, 7 – 10 – chciałyby, 8 – 7 – chcielibyście, 9 – 8 – chciałabyś, 10 – 4 – chciałybyście, 11 – 5 – chciałbyś

II

osoba	chcieć		woleć		czytać		wiedzieć	
	forma cz. prze- szłego	koń- cówka	forma cz. prze- szłego	koń- cówka	forma cz. prze- szłego	koń- cówka	forma cz. prze- szłego	koń- cówka
ja	chciał	-bym	wolał	-bym	czytał	-bym	wiedział	-bym
ja	chciała	-bym	wolała	-bym	czytała	-bym	wiedziała	-bym
ty	chciał	-byś	wolał	-byś	czytał	-byś	wiedział	-byś
ty	chciała	-byś	wolała	-byś	czytała	-byś	wiedziała	-byś
on	chciał	-by	wolał	-by	czytał	-by	wiedział	-by
ona	chciała	-by	wolała	-by	czytała	-by	wiedziała	-by
ono	chciało	-by	wolało	-by	czytało	-by	wiedziało	-by
my	chcieli	-byśmy	woleli	-byśmy	czytali	-byśmy	wiedzieli	-byśmy
my	chciały	-byśmy	wolały	-byśmy	czytały	-byśmy	wiedziały	-byśmy
wy	chcieli	-byście	woleli	-byście	czytali	-byście	wiedzieli	-byście
wy	chciał	-byście	wolały	-byście	czytały	-byście	wiedziały	-byście
oni	chcieli	-by	woleli	-by	czytali	-by	wiedzieli	-by
one	chciały	-by	wolały	-by	czytały	-by	wiedziały	-by

III

1 – 12, 3 – 14, 5 – 16, 7 – 20, 9 – 18, 11 – 4, 13 – 8, 15 – 10, 17 – 6, 19 – 2

IV

1 – sprzedałbym samochód, 2 – nie byłabyś teraz tak chora, 3 – podróżowaliby po całym świecie, 4 – poszlibyście na studia, 5 – chciałabym z nim porozmawiać

V

1 – zjedlibyśmy, 2 – poszlibyśmy, 3 – pojechałabyś, 4 – poszedłbym, 5 – wrócilibyśmy, 6 – wypilibyśmy, 7 – odwiedzilibyśmy, 8 – moglibyśmy, 9 – zagralibyśmy, 10 – położylibyśmy się

VI

1 – zwiedzałbym, 2 – kupiłbym, 3 – zabrałbym, 4 – kupiłabym, 5 – dałabym, 6 – zainwestował-
bym, 7 – spełniłby, 8 – zafundowałbym

VII
A

1 – zwiedzałby, 2 – kupiłby, 3 – zabrałby, 4 – kupiłaby, 5 – dałaby, 6 – zainwestowałby, 7– spełniłby, 8 – zafundowałby

B

1 – zwiedzalibyśmy, 2 – kupilibyśmy, 3 – zabralibyśmy, 4 – kupiłybyśmy, 5 – dałybyśmy, 6 –
zainwestowalibyśmy, 7 – spełnilibyśmy, 8 – zafundowalibyśmy

VIII

1. Jeślibyś skończyła medycynę, to pracowałabyś w szpitalu.
2. Jeślibyście wyjechali na studia do Warszawy, to musielibyście kupić tam mieszkanie.
3. Jeśliby miał pieniądze, to pojechałby do Paryża.
4. Jeślibyśmy przeczytały książkę, to oddałybyśmy ją do biblioteki.
5. Jeśliby kupili dobre buty, to chodziliby po górach.

IX

1 – Jeżeli byłaby ładna pogoda, poszlibyśmy na spacer. 2 – Jeżeli byłabym zdrowa, pojechałabym w góry. 3 – Jeżeli zaprosiłby mnie, zjedlibyśmy razem kolację. 4 – Jeżeli Katarzyna dosta-
łaby tę pracę, zarabiałaby bardzo dużo pieniędzy. 5 – Jeżeli chcielibyście, moglibyśmy zwiedzić Wawel. 6 – Jeżeli Kuba zrobiłby prawo jazdy, kupiłby samochód. 7 – Jeżeli uczyłyby się,
wyjechałyby za granicę. 8 – Jeżeli moja kuzynka wyszłaby za mąż, przeprowadziłaby się do
Wrocławia. 9 – Jeżeli napisałbym ten artykuł, wziąłbym urlop. 10 – Jeżeli miałybyście czas,
poszłybyśmy do kina.

X

1. Jeśli chciałbym / chciałabym pojechać do Hiszpanii i nie miałbym / miałabym pieniędzy, poszukałbym / poszukałabym pracy.
2. Jeśli nie zdałbym / zdałabym egzaminu z polskiej gramatyki, uczyłbym się / uczyłabym
   się więcej.
3. Jeśli złodziej ukradłby mi torebkę, poszłabym na policję.
4. Jeśli miałbym / miałabym wypadek samochodowy, zadzwoniłbym / zadzwoniłabym po
   pomoc drogową.
5. Jeśli miałbym / miałabym dużo czasu, obejrzałbym / obejrzałabym film.
6. Jeśli zaprosiłbym / zaprosiłabym gości, ugotowałbym / ugotowałabym pyszną kolację.
7. Jeśli spotkałbym / spotkałabym na ulicy bezdomnego psa, wziąłbym / wzięłabym go do
   domu.
8. Jeśli wyjeżdżałbym / wyjeżdżałabym w lecie do Włoch, kupiłbym / kupiłabym okulary
   przeciwsłoneczne.
9. Jeśli spóźniłbym się / spóźniłabym się na autobus, pojechałbym / pojechałabym
   taksówką.
10. Jeśli bałbym się / bałabym się latać samolotem, jeździłbym / jeździłabym pociągiem.

V.6. *Ojej! Nic nie pamiętam*
Ćwiczenia powtórzeniowe. Czasownik

I

1 – umie, 2 – piecze, 3 – smaży, 4 – dusi, 5 – umieją, 6 – przyrządza, 7 – umiem, 8 – gotuje, 9 – smaży, 10 – gotuję, 11 – duszę, 12 – piekę, 13 – smażę

II

1 – przechodzę, 2 – przechodzę, 3 – dochodzę, 4 – idę, 5 – przychodzę, 6 – wchodzę, 7 – wjeżdżam, 8 – wchodzę, 9 – podchodzę, 10 – wychodzę, 11 – zjeżdżam, 12 – wychodzę, 13 – przychodzę, 14 – obchodzę

III

1 – Trzeba dodać szczyptę soli. 2 – Trzeba pokroić mięso. 3 – Trzeba posprzątać mieszkanie. 4 – Trzeba powiedzieć mu prawdę. 5 – Trzeba zadzwonić do babci. 6 – Można pójść na spacer. 7 – Można pojechać w góry. 8 – Można do niej zadzwonić. 9 – Można obejrzeć ten film. 10 – Można przeczytać tę książkę.

IV

1 – Grzesiek powinien przyjechać wieczorem. 2 – Powinnam z nią o tym porozmawiać. 3 – Powinniśmy to przeczytać na poniedziałek. 4 – Oni powinni zrobić zakupy po południu. 5 – Powinnyście posprzątać swój pokój. 6 – Marta powinna leżeć w łóżku. 7 – Jacek powinien ubrać się ciepło. 8 – Dziewczyny powinny odpocząć. 9 – Powinniście odwiedzić babcię. 10 – Powinieneś zatelefonować do Iwony.

V

a – nie warto, b – nie mogą, c – powinien, d – trzeba, e – powinien, f – należy

VI

1 – Kiedy podróżowałaś po Egipcie, kupiłaś figurkę. 2 – Kiedy wsiadał do tramwaju, zobaczył Jolę. 3 – Kiedy jechała pociągiem, poznała Piotrka. 4 – Kiedy byliśmy w Krakowie, zwiedziliśmy Wawel. 5 – Kiedy szłyście ulicą, spotkałyście Marcina. 6 – Kiedy byli na wakacjach, nauczyli się hiszpańskiego. 7 – Kiedy chodziły do szkoły, poznały wielu przyjaciół.

VII

1 – pojechałem, 2 – obejrzeć, 3 – jechaliśmy, 4 – zjedliśmy, 5 – wypiliśmy, 6 – poszliśmy, 7 – spotkałem, 8 – powiedziała, 9 – poznała, 10 – zaprosił, 11 – zwiedzaliśmy, 12 – wróciłem, 13 – zadzwonił, 14 – opowiadał

VIII

1 – opowiedział, 2 – przeczytali, 3 – napisali, 4 – odwiedzili, 5 – pożyczyła, 6 – wytłumaczył, 7 – przyjechała, 8 – zadzwonił, 9 – pojechały, 10 – zrobiły

IX

1 – żeby, 2 – żebyście, 3 – żebyśmy, 4 – żeby, 5 – żebyście, 6 – żebyście, 7 – żebyśmy, 8 – żebyś, 9 – żebym, 10 – żeby

X

1 – budzę się, 2 – wstaję, 3 – myję, 4 – je, 5 – pije, 6 – idziemy, 7 – studiujemy, 8 – byłem, 9 – oglądałem, 10 – szedłem, 11 – spotkałem, 12 – piliśmy, 13 – rozmawialiśmy, 14 – będziemy uczyć się / uczyły się, 15 – będziemy czytać / czytały, 16 – będziemy grać /grały, 17 – będziemy słuchać / słuchały, 18 – będziemy podróżować / podróżowały.

XI

2.

a) Co zrobi Zosia?

Zosia wyjdzie z domu.

b) Co robi Zosia?

Zosia wychodzi z domu.

c) Co zrobiła Zosia?

Zosia wyszła z domu.

3.

a) Co zrobi Marek?

Marek przejdzie przez ulicę.

b) Co robi Marek?

Marek przechodzi przez ulicę.

c) Co zrobił Marek?

Marek przeszedł przez ulicę.

4.

a) Co zrobi Piotr?

Piotr pójdzie do parku na spotkanie.

b) Co robi Piotr?

Piotr idzie do parku na spotkanie.

c) Co zrobił Piotr?

Piotr przyszedł do parku na spotkanie.

5.

a) Co zrobi Franek?

Franek pójdzie do szkoły.

b) Co robi Franek?

Franek idzie do szkoły.

c) Co zrobił Franek?

Franek poszedł do szkoły.

6.

a) Co zrobi pan Karol?

Pan Karol wjedzie do garażu.

b) Co robi pan Karol?
Pan Karol wjeżdża do garażu.
c) Co zrobił pan Karol?
Pan Karol wjechał do garażu.

7.
a) Co zrobi wujek Marcin?
Wujek Marcin przyjedzie do rodziny.
b) Co robi wujek Marcin.
Wujek Marcin przyjeżdża do rodziny.
c) Co zrobił wujek Marcin?
Wujek Marcin przyjechał do rodziny.

XII
1 – przyjdę, 2 – doszliśmy, 3 – obszedł, 4 – weszli, 5 – przeszła

XIII
1 – chodzi, 2 – wyjechał, 3 – jeżdżę, 4 – jechaliśmy, 5 – przyjdzie, 6 – idziesz, 7 – pójdzie, 8 – pojechali / wyjechali, 9 – poszli, 10 – wyszedł

XIV
1 – wychodzę, 2 – przyszłyśmy, 3 – objechałem, 4 – odlatują, 5 – wyjeżdżam, 6 – wypłynęli, 7 – pochodzić, 8 – przylatuje, 9 – wszedł, 10 – doszliśmy

Klucz do rozdziału

VI. *Mówię już lepiej!*
Stopniowanie przysłówków

I
1 – gorąco mi, 2 – nudno mi, 3 – smutno mi, 4 – duszno mi, 5 – wesoło mi, 6 – słabo mi, 7 – wygodnie mi, 8 – niedobrze mi, 9 – przyjemnie mi

II
1. bliżej – najbliżej
2. więcej – najwięcej
3. mniej – najmniej
4. ciężej – najciężej
5. gorzej – najgorzej
6. lepiej – najlepiej
7. ładniej – najładniej

8. głośniej – najgłośniej
9. zimniej – najzimniej
10. cieplej – najcieplej

III

1 – skromniej, 2 – mniej, 3 – czyściej, 4 – ładniej, 5 – życzliwiej, 6 – więcej, 7 – najlepiej, 8 – szybciej, 9 – blado, 10 – pięknie, 11 – najgoręcej, 12 – długo, 13 – szczęśliwie, 14 – najlepiej

IV

1 – szybciej, 2 – więcej, 3 – mniej, 4 – gorzej, 5 – bardziej, 6 – smutniej, 7 – krócej, 8 – zimniej, 9 – lepiej, 10 – najszybciej

V

1. Najdalej od szkoły mieszka Łukasz.
2. Michał mieszka bliżej szkoły niż Łukasz.
3. Michał mieszka dalej od szkoły niż Magda.
4. Najwyżej ze wszystkich mieszka Wiktoria.
5. Najniżej ze wszystkich mieszka Renata.
6. Bartek mieszka wyżej niż Renata.
7. Bartek mieszka niżej niż Wiktoria.

VI

1 – najmniej, 2 – najdłużej, 3 – najczęściej, 4 – najwięcej, 5 – najkrócej, 6 – najszybciej, 7 – najwolniej, 8 – najdalej, 9 – najdawniej, 10 – najniżej

VII

1 – szybciej, 2 – dalej, 3 – zimniej, 4 – cieplej, 5 – więcej, 6 – bliżej, 7 – starzej, 8 – młodziej, 9 – trudniej, 10 – łatwiej

VIII

1 – bardziej twórczo, 2 – bardziej tłusto, 3 – bardziej kolorowo, 4 – bardziej deszczowo, 5 – bardziej interesująco, 6 – bardziej komfortowo, 7 – bardziej luksusowo, 8 – bardziej ślisko, 9 – bardziej gorzko, 10 – bardziej miękko

IX

1 – gorzej, 2 – bardziej, 3 – dłużej, 4 – częściej, 5 – cieplej, 6 – dłużej, 7 – więcej, 8 – zdrowiej

X

1 – wcześniej, 2 – weselej, 3 – dłużej, 4 – więcej, 5 – słoneczniej, 6 – głośniej, 7 – wyżej, 8 – lżej, 9 – mniej, 10 – intensywniej

VII. *Odpoczywam przy domu pod drzewem na trawie*
Przyimek

I

1 – nad morzem, 2 – na wsi, 3 – na politechnice, 4 – dookoła świata, 5 – w Polsce, 6 – za granicę, 7 – do Warszawy, 8 – do mnie, 9 – bez cukru, 10 – przez telefon

II

Dokąd ?	Gdzie?	Skąd?
(0) Marysia idzie na dworzec.	Marysia jest na dworcu.	Marysia wraca z dworca.
(1) Piotrek jedzie za granicę.	Piotrek jest za granicą.	Piotrek wraca zza granicy.
(2) Zosia jedzie / idzie w góry.	Zosia jest w górach.	Zosia wraca z gór.
(3) Kowalscy jadą nad morze.	Kowalscy są nad morzem.	Kowalscy wracają znad morza.
(4) Jedziemy nad ocean.	Jesteśmy nad oceanem.	Wracamy znad oceanu.
(5) Kinga idzie / jedzie do babci.	Kinga jest u babci.	Kinga wraca od babci.
(6) Idziecie na plażę.	Jesteście na plaży.	Wracacie z plaży.
(7) Idziesz na basen.	Jesteś na basenie.	Wracasz z basenu.
(8) Ala jedzie na wieś.	Ala jest na wsi.	Ala wraca ze wsi.
(9) Dziewczyny idą na imieniny.	Dziewczyny są na imieninach.	Dziewczyny wracają z imienin.
(10) Idziemy na obiad.	Jesteśmy na obiedzie.	Wracamy z obiadu.
(11) Idę do brata.	Jestem u brata.	Wracam od brata.
(12) Studenci idą do teatru.	Studenci są w teatrze.	Studenci wracają z teatru.

III
A.
1. Hotel znajduje się między kawiarnią a apteką.
2. Apteka znajduje się obok hotelu, pod księgarnią.
3. Księgarnia znajduje się nad apteką.
4. Kawiarnia znajduje się obok hotelu, pod szkołą językową.
5. Przystanek autobusowy znajduje się za domami.
6. Samochód znajduje się przed hotelem.
7. Tramwaj jedzie wzdłuż ulicy.
8. Drzewa są wokół placu.
9. Fontanna znajduje się na placu.
10. Kościół znajduje się przy ulicy.

B.

Dopełniacz	Narzędnik	Miejscownik
obok, naprzeciw, wzdłuż	pod, nad, przed, między, za	na, przy

IV
1 – na, 2 – na, 3 – do, 4 – na, 5 – do, 6 – do, 7 – do, 8 – do, 9 – na, 10 – na

V
1 – na, na, 2 – na, 3 – w, 4 – na, 5 – na, 6 – w, 7 – na, 8 – na, 9 – w, 10 – na

VI
1 – przy, 2 – przy, 3 – obok, 4 – przy, 5 – obok, 6 – przy, 7 – obok, 8 – przy, 9 – obok, 10 – obok

VII
1 – b, 2 – a, 3 – c, 4 – a, 5 – a, 6 – a, 7 – c, 8 – c, 9 – c, 10 – b

VIII
1 – a, 2 – c, 3 – b, 4 – c, 5 – a, 6 – b, 7 – b, 8 – a, 9 – a, 10 – a

IX
1 – za, 2 – do, 3 – we, 4 – przez, 5 – po, 6 – na, 7 – przed, 8 – z, 9 – na, 10 – o, 11 – na

X
1 – do, 2 – z, 3 – po, 4 – z, 5 – na, 6 – na, 7 – o, 8 – do, 9 – przy, 10 – obok

Klucz do rozdziału

VIII. *To już wiesz!*
Ćwiczenia gramatyczne i nie tylko

I
1 – On wsiada do tramwaju. 2 – Ona wysiada z metra. 3 – Pociąg przyjechał. 4 – Pociąg odjechał.

II
1. Helena dla Franciszka to żona.
2. Stanisław dla Sebastiana to ojciec.
3. Kazimierz dla Stanisława to brat.
4. Irena dla Sebastiana to bratowa.
5. Teresa dla Franciszka to synowa.

6. Helena dla Teresy to teściowa.
7. Wojciech dla Teresy to szwagier.
8. Maria dla Sebastiana to ciotka.
9. Sebastian dla Franciszka to wnuk.
10. Zosia dla Sebastiana to kuzynka.
11. Stanisław dla Bożeny to zięć.
12. Leopold dla Stanisława to teść.

III

1 – zięć, 2 – siostrzenica, 3 – bratanek, 4 – synowa, 5 – stryj, 6 – bratowa, 7 – szwagier, 8 – teść

IV

1. Katarzyna czyta książkę.
2. Czy pijecie herbatę?
3. Jemy kurczaka.
4. Oni mają małe dziecko.
5. Nie lubię chodzić do opery.

V

1 – chmury, 2 – wiał, 3 – pogoda, 4 – świeciło, 5 – tęcza, 6 – zimno, 7 – stopni, 8 – mgła, 9 – gwiazdy

VI

1 – Boli mnie głowa. 2 – Boli cię ucho. 3 – Karola bolą oczy. 4 – Anię boli palec. 5 – Stefana boli brzuch. 6 – Bolą ich plecy. 7 – Marcina boli szyja. 8 – Kubę bolą nogi. 9 – Olę boli kolano. 10 – Bolą was ramiona. 11 – Bolą nas stopy. 12 – Boli ją ząb.

VII

1 – cały, 2 – każdego, 3 – każdy, 4 – wszyscy, 5 – wszystko, 6 – wszystkie, 7 – każdą, 8 – cały, 9 – wszystkie, 10 – każde

VIII

1 – cudze, 2 – obcego, obco, 3 – obcych, 4 – cudzych, 6 – obcy

IX

1 – za granicę, 2 – ojczyźnie, 3 – obcokrajowców, 4 – obywatelstwo, 5 – ojczystym, 6 – pochodziła, 7 – obywatelką

X

1 – odwiedzamy, 2 – zwiedzić, 3 – zwiedzenia, 4 – odwiedzam, 5 – zwiedzić, 6 – odwiedzałeś, 7 – zwiedzić, 8 – odwiedzałam, 9 – zwiedza, 10 – odwiedzić

XI

1 – leci, 2 – wystartował, 3 – przyleciała, 4 – latać, 5 – przyleci, 6 – ląduje, 7 – pokładzie

XII

1 – b, 2 – c, 3 – a, 4 – e, 5 – d, 6 – f

XIII

1 – mężem, 2 – pobrali się, 3 – uroczystość, 4 – ożenił się, 5 – żona, 6 – pobrali się, 7 – wesele, 8 – panna młoda, 9 – pan młody, 10 – pobrali się

XIV

1 – zerwała, 2 – kocha, 3 – obiecał, 4 – wróci, 5 – nadzieję, 6 – zapomni, 7 – zrobi, 8 – zechce, 9 – zapomnieć, 10 – wróci

XV

1 – lubię, 2 – uwielbiam, 3 – nie znoszę, 4 – uwielbiam, 5 – lubisz, 6 – lubię, 7 – nie znoszę

XVI

nie wolno wchodzić z lodami, nie wolno wchodzić z psem, nie wolno się kąpać, nie wolno parkować, nie wolno fotografować, nie wolno deptać trawy, nie wolno palić, nie wolno śmiecić, nie wolno zawracać, nie wolno skręcać w lewo, nie wolno skręcać w prawo, nie wolno używać klaksonu

XVII

1. Agnieszka chodzi na kurs francuskiego, żeby nauczyć się języka.
2. Beata poszła do Wojtka, żeby z nim porozmawiać.
3. Karolina studiuje dwa fakultety, żeby mieć dobrą pracę.
4. Andrzej wyjechał za granicę, żeby dużo zarabiać.
5. Paweł ożenił się z Dorotą, żeby zapomnieć o Kasi.

XVIII

1 – na czacie, 2 – klikał, 3 – otworzyć, 4 – się zawiesił, 5 – wydrukuję, 6 – surfował, 7 – uzależniony, 8 – mailuje

XIX

1 – przycisnąć, 2 – klawisz, 3 – wpisać, 4 – dzwonić, 5 – wysyłać, 6 – zepsuje się, 7 – oddać, 8 – naprawić, 9 – wymienić, 10 – model

XX

1 – ponieważ, 2 – ale, 3 – więc, 4 – ponieważ, 5 – więc

XXI

1 – więc, 2 – ale, 3 – ponieważ, 4 – że, 5 – i, 6 – czy, 7 – ponieważ, 8 – ponieważ, 9 – czy, 10 – że

PODRĘCZNIKI W SERII **JĘZYK POLSKI DLA CUDZOZIEMCÓW**
pod redakcją Władysława Miodunki

podręczniki kursowe

A1 Władysław Miodunka
CZEŚĆ, JAK SIĘ MASZ? CZĘŚĆ I
SPOTYKAMY SIĘ W POLSCE **CD**

A2 Władysław Miodunka
CZEŚĆ, JAK SIĘ MASZ? CZĘŚĆ II
SPOTKAJMY SIĘ W EUROPIE **CD**

A1 A2 Marta Pančíková, Wiesław Stefańczyk
PO TAMTEJ STRONIE TATR
UČEBNICA POL'STINY PRE SLOVÁKOV

B1 Ewa Lipińska
Z POLSKIM NA TY
PODRĘCZNIK JĘZYKA POLSKIEGO
DLA ŚREDNIO ZAAWANSOWANYCH **2 CD**

B2 Ewa Lipińska, Elżbieta Grażyna Dąmbska
KIEDYŚ WRÓCISZ TU... CZĘŚĆ I
GDZIE NADWIŚLAŃSKI BRZEG **CD**

C1 Ewa Lipińska, Elżbieta Grażyna Dąmbska
KIEDYŚ WRÓCISZ TU... CZĘŚĆ II
BY SZUKAĆ SWOICH DRÓG I GWIAZD **CD**

części systemu języka

A1 Joanna Machowska
GRAMATYKA? DLACZEGO NIE?!
ĆWICZENIA GRAMATYCZNE DLA POZIOMU A1

A1 A2 Magdalena Szelc-Mays, Elżbieta Rybicka
SŁOWA I SŁÓWKA
PODRĘCZNIK DO NAUKI SŁOWNICTWA
I GRAMATYKI DLA POCZĄTKUJĄCYCH

B2 C1 Stanisław Mędak
CO Z CZYM?
ĆWICZENIA SKŁADNIOWE
Z JĘZYKA POLSKIEGO DLA OBCOKRAJOWCÓW

A2 B1 Magdalena Szelc-Mays
NOWE SŁOWA – STARE RZECZY
PODRĘCZNIK DO NAUCZANIA SŁOWNICTWA
JĘZYKA POLSKIEGO

B1 B2 Ewa Lipińska
NIE MA RÓŻY BEZ KOLCÓW
ĆWICZENIA ORTOGRAFICZNE
DLA OBCOKRAJOWCÓW
Wydanie II, poprawione i uzupełnione

B2 Piotr Garncarek
CZAS NA CZASOWNIK
ĆWICZENIA GRAMATYCZNE Z JĘZYKA POLSKIEGO

B2 C1 C2 Stanisław Mędak
LICZEBNIK TEŻ SIĘ LICZY!
GRAMATYKA LICZEBNIKA Z ĆWICZENIAMI

B2 C1 Józef Pyzik
PRZYGODA Z GRAMATYKĄ
FLEKSJA I SŁOWOTWÓRSTWO IMION
ĆWICZENIA FUNKCJONALNO-GRAMATYCZNE
DLA CUDZOZIEMCÓW

B2 C1 Józef Pyzik
IŚĆ CZY JECHAĆ?
ĆWICZENIA GRAMATYCZNO-SEMANTYCZNE
Z CZASOWNIKAMI RUCHU

B1 B2 C1 Anna Pięcińska
CO RAZ WEJDZIE DO GŁOWY –
JUŻ Z NIEJ NIE WYLECI
CZYLI FRAZEOLOGIA PROSTA I PRZYJEMNA

B1 B2 Przemysław Gębal
OD SŁOWA DO SŁOWA
TOCZY SIĘ ROZMOWA
REPETYTORIUM LEKSYKALNE Z JĘZYKA POLSKIEGO
JAKO OBCEGO DLA POZIOMÓW B1 I B2

sprawności

A1 A2 Danuta Gałyga
ACH, TEN JĘZYK POLSKI! **CD**
ĆWICZENIA KOMUNIKACYJNE DLA POCZĄTKUJĄCYCH

B1 B2 Magdalena Szelc-Mays
COŚ WAM POWIEM...
ĆWICZENIA KOMUNIKACYJNE
DLA ŚREDNIO ZAAWANSOWANYCH **2 CD**

B2 C1 C2 Ewa Lipińska
KSIĘŻYC W BUTONIERCE
ĆWICZENIA DLA CUDZOZIEMCÓW DOSKONALĄCE
SPRAWNOŚĆ ROZUMIENIA ZE SŁUCHU **CD**

C1 C2 Ewa Lipińska
LEKTURY PODRĘCZNE
ANTOLOGIA TEKSTÓW SATYRYCZNYCH
DLA CUDZOZIEMCÓW, KTÓRZY DOBRZE
ZNAJĄ JĘZYK POLSKI

B2 C1 Anna Seretny
KTO CZYTA – NIE BŁĄDZI
ĆWICZENIA ROZWIJAJĄCE SPRAWNOŚĆ CZYTANIA

C1 Anna Seretny
PER ASPERA AD ASTRA
ĆWICZENIA ROZWIJAJĄCE SPRAWNOŚĆ CZYTANIA

C2 Bogusław Kubiak
NA ŁAMACH PRASY CZĘŚĆ I
ĆWICZENIA ROZWIJAJĄCE SPRAWNOŚĆ CZYTANIA
Dodatek – Strategie egzaminacyjne

C2 Bogusław Kubiak
NA ŁAMACH PRASY CZĘŚĆ II
ĆWICZENIA ROZWIJAJĄCE SPRAWNOŚĆ CZYTANIA

B2 C1 Andrzej Ruszer
OSWOIĆ TEKST
PODRĘCZNIK KOMPOZYCJI I REDAKCJI TEKSTÓW
UŻYTKOWYCH DLA POZIOMÓW B2 I C1

A1 A2 Danuta Gałyga
JAK TO ŁATWO POWIEDZIEĆ... **3 CD**
ĆWICZENIA KOMUNIKACYJNE DLA POCZĄTKUJĄCYCH

zbiory zadań do egzaminów certyfikatowych

B1 Aleksandra Achtelik, Wioletta Hajduk-Gawron,
Agnieszka Madeja, Magdalena Świątek
BĄDŹ NA B1
ZBIÓR ZADAŃ Z JĘZYKA POLSKIEGO ORAZ
PRZYKŁADOWE TESTY CERTYFIKATOWE
DLA POZIOMU PODSTAWOWEGO **2 CD**

PODRĘCZNIKI W SERII JĘZYK POLSKI DLA CUDZOZIEMCÓW
pod redakcją Władysława Miodunki

Podręczniki do nauczania języka polskiego jako obcego są opracowywane przez zespół autorów związanych
z Katedrą Języka Polskiego jako Obcego Uniwersytetu Jagiellońskiego oraz z innymi ośrodkami kształcenia
obcokrajowców uczelni polskich jak UW, UŁ, UMCS, KUL, UŚ, UWr.

Na stronie www.universitas.com.pl znajdą Państwo więcej informacji o podręcznikach do nauczania
języka polskiego jako obcego. Można tam także zamówić bezpłatny katalog „Podręczniki do nauczania
języka polskiego jako obcego".

TOWARZYSTWO AUTORÓW I WYDAWCÓW
PRAC NAUKOWYCH
UNIVERSITAS

REDAKCJA
 ul. Sławkowska 17, 31-016 Kraków
 tel./fax 12 423 26 05 / 12 423 26 14 / 12 423 26 28
 www.universitas.com.pl

DYSTRYBUCJA oraz KSIĘGARNIA WYSYŁKOWA
 ul. Żmujdzka 6B, 31-426 Kraków
 ksiegarnia@universitas.com.pl
 tel. 12 413 91 36 / 12 418 23 75
 fax 12 413 91 25

ZAMÓW NASZ BEZPŁATNY KATALOG I NEWSLETTER
 tel. 12 423 26 05 / 12 418 23 75

www.universitas.com.pl

www.facebook.com/Wydawnictwo.Universitas